스마트폰 씹어먹기

#기본편

박현경

디지털세상을 알려드리는 알리쌤입니다.
구리, 남양주에서 시니어분들의
스마트폰 수업을 하고 있습니다.

오수정

AI 디지털 전문강사 수정쌤 입니다.
초중등 학생부터 시니어까지
최신 챗GPT활용부터 스마트폰까지
서울 경기권에서 강의하고 있습니다.

오현수

스마트한 농부를 위한 디지털 강사
문경엘사입니다. 문경시에서
N잡 농부로 활동하고 있어요.

이경숙

편리한 디지털 세상에서 남녀노소 누구나
쉽게 책을 읽으며 소통하는
온/오프라인에서 북클럽을 운영하며
강의하고 있습니다

디지털튜터협회 강사
레디큐 디지털 교육연구소

이 선

디지털 세상과 교육을 연결하는 에듀디튜
이선쌤입니다.
에듀테크와 AI활용법을 공교육 현장에서
적용하며 강의합니다.

이채영

AI 활용 스마트폰 강사입니다.
'이채로운 디지털' 세상을 쉽게 전달해드
리며 보람을 얻는 '디지털챙이'입니다.

정승미

어려운 디지털의 세계를 쉽게 알려
드리는 구리,남양주 시니어
전문 강사로 활동중 입니다.

차성혜

디지털 세상으로 날아오를
플라이성혜입니다.
현재 SKT IFLAND 인플루언서로
활동하고 있습니다.

이젠 더 이상 아들, 딸
기다리지 않으셔도 됩니다!

아들 얼굴이 보고 싶으신가요? 아들이 고향 집 오기 만 기다리셨나요? 이젠 더 이상 기다리지 마세요. 이 책을 보고 따라하기만 하면 스마트폰으로 아들 얼굴을 보면서 통화하실 수 있어요.

스마트폰 글자 크게 바꾸려고 딸 오기만 기다리셨나요? 이젠 더 이상 기다리지 마세요. 이 책 보고 따라하기만 하면 됩니다.

이 책은 디지털 강사 8명이 그 동안의 경험을 바탕으로 알기 쉽게 '꼭꼭' 씹어 소화시킬 수 있도록 만들었습니다. 목 마른 사람이 우물을 파는 심정으로 강의 현장에서 만난 어르신께 전달해드리고 싶은 내용을 '꾹꾹' 눌러 담았습니다.

이 교재의 특징은 다음과 같습니다.

- 단계별 설명 : 초보자도 쉽게 따라할 수 있도록 스마트폰 캡쳐 사진을 순서대로 꼼꼼하게 배치하여 이해를 돕습니다.

- 최신 OS 기반 : One UI 6.0 버전을 기준으로 사용법을 설명합니다.

- 실용적인 설정 : 일상생활에서 유용한 설정부터 고급 설정까지 다양한 내용을 다루며, 실제 사용 예시를 통해 적용 방법을 보여줍니다.

- 팁과 주의 사항 : 설정 과정에서 사용할 수 있는 꿀팁과 주의, 참고 사항을 통해 편리하게 잘 활용할 수 있도록 도와드립니다.

스마트폰 '설정'에 대해 잘 이해하고 똑똑하게 사용하고 싶은 분, 나만의 맞춤 '설정'으로 개성 있는 사용자가 되고 싶은 분이라면 이 교재가 큰 도움이 될 것입니다.

현직 강사인 저희들이 직접 사용할 교재이기에 빠르고 꾸준하게 업데이트 하려고 합니다. 8명의 강사가 모여 한땀 한땀 수를 놓듯 정성껏 만든 이 책으로 디지털 세상을 신나게 누려보세요.

2024년 4월
레디큐 디지털 교육연구소 연구원 일동

목차

3부 연결 및 관리

시작
하기

1. 스마트폰의 기본 구조와 기능

스마트폰 앞면

기종 : Galaxy S24

폰 기종에 따라 구성이 조금씩 다름.

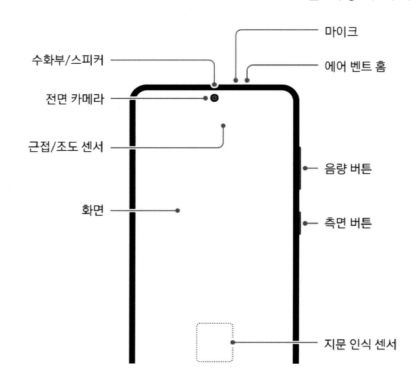

마이크

수화부/스피커

에어 벤트 홈

전면 카메라

근접/조도 센서

화면

음량 버튼

측면 버튼

지문 인식 센서

스마트폰 앞면 하단 버튼

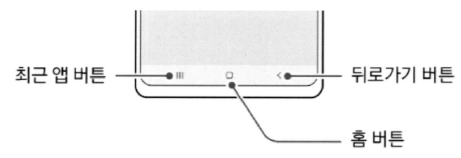

최근 앱 버튼

뒤로가기 버튼

홈 버튼

내비게이션바 = 소프트웨어 버튼
- **최근 앱 버튼**
  - 무슨 앱을 사용 했는지 확인하고 바로 열 수 있음
- **홈 버튼**
  - 어느 화면에 있던지간에 스마트폰의 첫 화면으로 이동
- **뒤로가기 버튼**
  - 지금 사용하는 앱의 화면에서 바로 전 화면으로 이동

스마트폰 뒷면

기종 : Galaxy S24

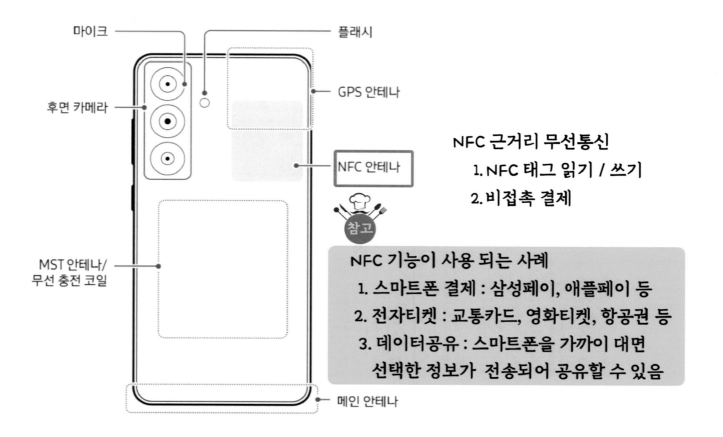

마이크
플래시
후면 카메라
GPS 안테나
NFC 안테나
MST 안테나/
무선 충전 코일
메인 안테나

NFC 근거리 무선통신
1. NFC 태그 읽기 / 쓰기
2. 비접촉 결제

참고

NFC 기능이 사용 되는 사례
1. 스마트폰 결제 : 삼성페이, 애플페이 등
2. 전자티켓 : 교통카드, 영화티켓, 항공권 등
3. 데이터공유 : 스마트폰을 가까이 대면
선택한 정보가 전송되어 공유할 수 있음

스마트폰 밑면

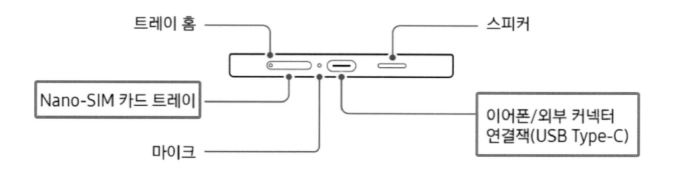

트레이 홈
스피커
Nano-SIM 카드 트레이
마이크
이어폰/외부 커넥터
연결잭(USB Type-C)

참고

Galaxy S24 에서 가장 크게 기존 폰과 달라진 점
● Nano카드 트레이가 s23에서 사라졌다가 폰의 밑면에 다시 생김

2. 스마트폰 켜고 끄기

1) 폰 화면 켜고 끄는 법 2가지

(1) 측면 버튼 짧게 누르기
(2) 홈화면에서 2번 누르기

2) 폰 전원 켜고 끄는 법 3가지

(1) 측면 버튼 길게 누르기
(2) 빠른 설정창에서 전원 아이콘 누르기
(3) 빅스비로 명령하기

터치스크린이 뭘까요?

터치스크린은 손가락으로 살짝 누르면 기계가 작동이 되도록 만들어진 화면입니다. 버튼을 누르지 않기에힘들지 않게, 편리하게 기기를 사용할 수 있어요.

스마트폰, 태블릿, ATM기, 자동차 네비게이션, 키오스크 등 우리 생활 많은 곳에 사용되고 있습니다.

1) 폰 화면 켜고 끄기 방법 2가지

방법 1. 측면버튼 이용

방법 2. 홈화면 이용

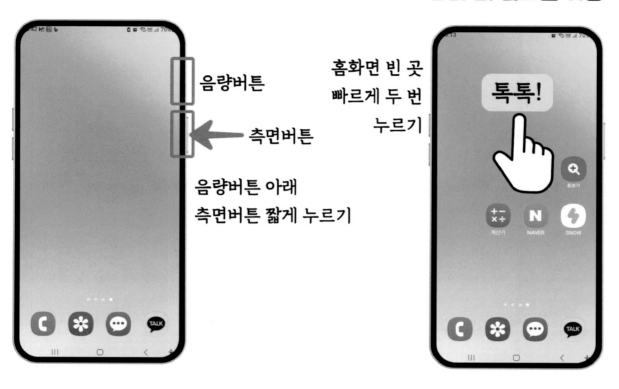

음량버튼

측면버튼

음량버튼 아래
측면버튼 짧게 누르기

홈화면 빈 곳
빠르게 두 번
누르기

톡톡!

2) 폰 전원 켜고 끄는 방법 3가지

방법 1. 측면버튼 이용

1.
측면버튼
길게 누르기

2.
'전원 끄기' 또는
'다시 시작' 누르기

전원 끄기

다시 시작

긴급전화

잠금 모드

의료정보

측면 버튼 설정

측면 버튼을 길게 눌렀는데 전원 끄는 화면이 안 뜬다면...

- 설정에서 상태 확인 필요, 폰 기종에 따라 화면 구성이 조금씩 다릅니다

> 설정
> 유용한 기능
> 측면버튼

'전원 끄기 메뉴' 누르기

'빅스비 호출하기' 누르면
음성으로 전원 끌 수 있음

방법 2. 빠른 설정창 이용

1. 상단 모서리부터 두 손가락으로 동시에 스크롤(쓸어내리기) 하기

2.
오른쪽 상단
전원 버튼 누르기

3.
'전원 끄기' 또는
'다시 시작' 누르기

방법 3. 빅스비로 명령하기

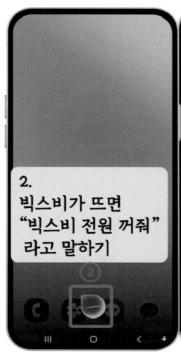

음량버튼

측면버튼

1.
측면 버튼
길게 누르기

2.
빅스비가 뜨면
"빅스비 전원 꺼줘"
라고 말하기

3.
'전원 끄기' 또는
'다시 시작' 누르기

측면 버튼을 길게 눌렀는데 빅스비 호출이 안 된다면...

• 설정에서 상태 확인 필요, 폰 기종에 따라 화면 구성이 조금씩 다릅니다

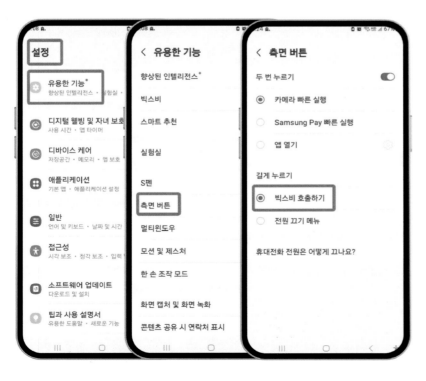

설정
> 유용한 기능
> 측면버튼
> '빅스비 호출하기'
  누르기

15

3. 화면 터치 방법과 제스처

1) 밀기 (스크롤) 손가락 끝을 화면에 살짝 눌러 상하 좌우로 밀기

좌우로 스크롤하면
화면이 좌우로 이동

홈화면에서 상하로 스크롤하면
홈화면과 앱스화면이 교차로 바뀜

2) 누르기

손가락 끝으로
화면을 1초 이내로
살짝 누르기

아이콘을 누르면
해당 앱의 화면으로 이동함

3) 두 번 누르기

화면을 가볍게 살짝
연속으로 두번 누르기

지도화면이
크게 확대되어 보임

< 두 번 누르기 사용하는 또 다른 경우 >
- 폰 화면을 켜고 끌 때

4) 길게 누르기

손가락 끝으로 화면을 2초 이상 꾹~ 누르기

< 길게 누르기 사용하는 경우 >
- 앱의 위치를 이동할 때
- 앱을 선택할 때
- 홈화면에 추가할 때
- 홈화면에서 삭제할 때
- 앱 설치를 삭제할 때
- 위젯을 사용할 때

5) 끌기

손가락 끝으로
꾹 누른 채
원하는 곳으로 끌고 가기

< 끌기 하는 경우 >
- 위치를 이동할 때

6) 벌리기와 오므리기

엄지와 검지로 벌리기
글자가 커지거나 화면이 확대됨

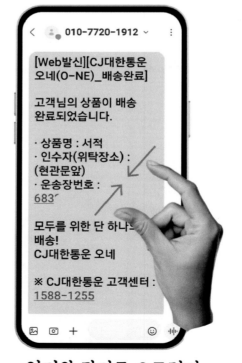

엄지와 검지로 오므리기
글자가 작아지고 화면이 축소됨

콩나물에 물을 주면 순식간에 물이 아래로 빠져나가
남는 것이 없어 보이지만 콩나물은 쑥쑥 자랍니다.
하나씩 배운 지식들이 나에게 성장을 가져옵니다.

1부

맞춤
설정

제1장
화면 설정

화면이란?

스마트폰 화면은 사용자에게 시각적인 정보를 표시하고,
터치와 입력을 통해 스마트폰을 작동시키는 곳입니다.
스마트폰의 화면은 스마트폰과 사람 사이 유일한 소통의 창구
역할을 하므로 매우 중요한 부분입니다.

파이낸셜뉴스

사회 〉 사건·사고

"'ㄱ·ㄴ' 잠금패턴 휴대폰 다 털렸다"..사우나 고객만 노려 4500만원 턴 40대

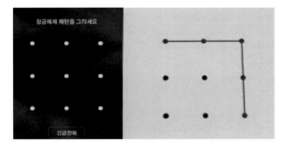

휴대폰 잠금화면으로 간단한 '잠금패턴'을 사용했다가, 절도범에 의해 갈취당한 사례가 나타났다. 유동인구가 많은 대중 사우나에서 발생했는데, 목욕탕 내 탈의실 옷장을 털던 중 발견하는 스마트폰마다 쉬운 잠금패턴을 시도해 스마트폰을 가로채고 이와 함께 수천만원에 달하는 현금을 갈취한 것으로 알려졌다.

9일 경찰 등에 따르면 40대 남성 A씨는 지난 9월부터 이달 초까지 경남 진주의 대중목욕탕 6곳에서 이같은 수법을 이용해 범행을 저질렀다. A씨는 앞서 2월 동종 범죄인 목욕탕 옷장 절도로 수감됐다가 출소했다. 지난 9월 진주의 한 대중목욕탕에 들어간 뒤 미리 준비한 도구를 이용해 손쉽게 탈의실 옷장 문을 열었다.

그 자리에서 휴대전화와 지갑을 훔친 A씨는 목욕탕 밖으로 나선 뒤 휴대전화 잠금을 풀었다. 대다수의 휴대전화 잠금패턴은 'ㄱ' 'ㄴ', 알파벳 'Z' 'N' 등이어서 손쉽게 잠금 해제할 수 있었다.

A씨는 며칠 뒤 ATM기를 찾아가 훔친 카드를 이용해 현금을 인출했다. A씨는 현금 인출을 하기 전 훔친 휴대전화로 카드사에 전화를 걸어 카드 주인인 척 거짓말을 해 비밀번호를 초기화한 것으로 알려졌다. 카드사의 본인인증 시스템은 지갑 내 신분증으로 통과했다.

helpfire@fnnews.com 임우섭 기자

잠금 화면	홈 화면	앱스 화면

스마트폰 사용을 제한하고 알림만 표시하는 화면	앱, 위젯, 바로 가기 등 을 배치하여 사용자에 맞게 설정한 화면	스마트폰에 설치 된 모든 앱을 볼 수 있는 화면

1. 잠금 화면

1) 잠금 화면 살펴보기

잠금 표시

날짜, 시간, 알림

잠금 상태에서도
사용 가능한 버튼

잠금 상태에서 손가락을 밀어
잠금 해제시키는 화면에서
긴급 전화 걸기 가능.
(87 페이지 참고)

2) 잠금 화면 편집하기

• 스마트폰이 잠겨 있는 상태에서도 전화 걸고 사진 찍을 수 있다.

1.
잠금 화면 빈 곳을 길게 누르기
(잠금 설정이 되어 있다면 잠금 풀기)

2.
하단 좌우 버튼 2개 중 잠금 화면
에서 사용 설정할 버튼 누르기

3.
잠금 화면에서 사용할 앱 선택

4.
'완료' 누르기

3) 잠금 방식 종류

• 잠금 방식에는 드래그, 패턴 그리기(손을 떼지 않고 네 개의 점을 이어 그리기),
PIN(숫자), 비밀번호(숫자와 문자 혼합), 생체인식(지문, 얼굴인식)이 있다.

4) 잠금 패턴 설정하기

설정
> 잠금 화면
> 화면 잠금 방식
> 패턴
> 패턴 그리기 (손가락을 떼지 않고 네 점이상 연결)
> 계속
> 패턴 다시 한 번 그리기
> 확인
> 패턴 암호 입력 후 확인 또는 건너뛰기

 잠금 설정을 하지 않고 스마트폰을 사용하면 분실시 개인정보 노출의 위험이 있으니 꼭 잠금 상태로 사용하세요.

2. 홈 화면

1) 홈 화면 살펴보기

← 상태표시줄 : 스마트폰의 현재 상태를 알려줌

← 위젯 : 앱을 빠르고 간편하게 이용할 수 있도록 홈 화면에 꺼내놓은 미니 응용 프로그램

← 앱 아이콘 : 앱을 실행하고 구별하기 위한 상징

← 즐겨찾기 앱 : 자주 쓰는 앱들을 끌어다 배치

← 내비게이션 바 : 앱 간 전환이나 빠른 접근 가능

2) 홈 화면 페이지 편집

• 필요 없는 홈 화면 페이지를 삭제할 수 있다.

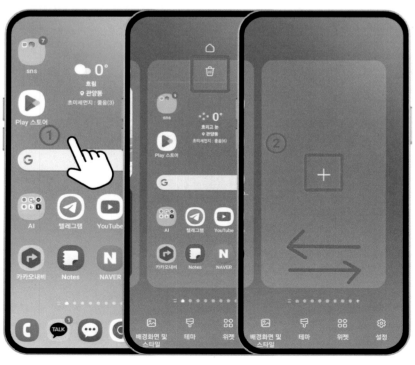

1.
홈 화면 빈 곳을 길게 눌러서 홈 화면 편집 모드로 가기

2.
편집하기
  • 휴지통 누르면 페이지 삭제
  • [+] 누르면 페이지 추가
  • 페이지를 꾹 누른 채 원하는 곳으로 끌고 가면 페이지 순서가 이동 됨

3) 배경화면 바꾸기

- 매일 보는 배경화면 내가 좋아하는 사진으로 바꿀 수 있다.

내 사진을 배경화면으로 설정하기

- 잠금 화면과 홈 화면 배경을 설정할 수 있다.

1. 홈 화면 빈 곳을 길게 누르기

2. '배경화면 및 스타일' 누르기

3. '배경화면 변경' 누르기

4. '갤러리' 중 폴더 골라 누르기

5. 사진 선택하기

6. '완료' 누르기

7. 적용할 화면 선택 후 '다음' 누르기

8. '완료' 누르기

4) 위젯 설정하기

• 내가 자주 쓰는 스마트폰 기능을 골라 위젯을 추가할 수 있다.

위젯은 홈 화면에 추가하여 특정 앱의 정보나 기능을 빠르게 확인하거나 유용한 기능을 바로 실행할 수 있는 작은 애플리케이션입니다.

홈 화면 여백을 길게 눌러 위젯 메뉴를 누른 뒤 추가할 위젯을 선택한 후 '추가'를 누르면 홈 화면에 위젯이 추가됩니다

설치 된 위젯을 길게 눌러 편집모드가 되면 휴지통을 눌러 삭제하거나 원하는 위치로 끌어다 놓을 수 있습니다.

연락처 위젯
(누르면 바로
전화 걸기 실행)

갤러리 위젯
(자동으로 사진 재생)

날씨 위젯

연락처 위젯 설정하기

• 전화 앱을 열거나 연락처 찾을 필요 없이 터치 한 번으로 전화 걸 수 있다.

1. 홈화면 빈 곳을 길게 누르기

2. '위젯' 누르기

3. '연락처' 누르기

4. '다이렉트 전화' '추가' 누르기

5. 연락처 선택하기

날씨 위젯 설정하기

• 우리 동네 실시간 날씨와 현재 시각을 큰 글자로 보이게 할 수 있다.

1.
홈화면 빈 곳을
길게 누르기

2.
'위젯' 누르기

3.
'날씨' 누르기

4.
마음에 드는 위젯
'추가' 누르기

앱(APP)이 뭘까요?

앱은 'Application'의 약자 'App'에서 나온 말이에요.
앱은 운영 체제와 같은 기본 프로그램이 아닌 특정
목적을 위해 사용자들이 설치하는 프로그램을 말해요.
'플레이스토어'나 '앱스토어'에서 설치할 수 있지요.

앱은 마치 스마트폰 안에 사는 신기한 친구들과 같아
다양한 놀거리와 정보를 제공하며,
우리 삶을 더욱 편리하고 즐겁게 만들어 줘요.

3. 앱스 화면

1) 앱스 화면 살펴보기

- 내 스마트폰의 앱 창고에서 필요한 앱을 찾을 수 있다.

검색창(파인더)
검색을 누르고
검색어를 입력하면
폰에 있는 앱, 컨텐츠를
찾아줍니다.

화면을 위로 밀거나
앱스 버튼을 터치하면
앱스 화면으로 이동함

 참고 홈 화면에 앱스버튼을 추가하려면 홈 화면 빈 공간을 길게 누르고
설정 > 홈 화면에 앱스 버튼 추가 누르기.

2) 앱 설치하기 - 플레이스토어

- 플레이 스토어에서 필요한 앱을 검색해서 설치할 수 있다.

①

1. 'PLAY스토어' 실행
2. 하단에 '앱' 선택 확인
3. 상단 검색창에 설치할 앱
   이름 키보드로 입력 또는
   마이크 눌러 음성입력
4. 검색창 바로 아래 뜨는 앱
   이름과 똑같은 글자를 누
   르거나 키보드의 돋보기
   누름

5.

앱 아이콘과 앱 이름을 확인하고 '설치' 누르고 기다리기

6.

설치가 완료되면 '열기' 누르기

앱 설치가 100% 완료될 때까지 취소를 누르지 마세요.

• 앱을 설치할 때 '앱 사용중에만 허용' 또는 '허용'을 선택할 수 있다.

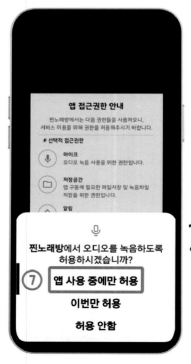

앱을 설치하고 사용하려면 전화, 알림, 마이크 등을 허용해 주어야 앱이 정상적으로 작동됩니다.
앱에 따라 허용해야 하는 기능이 다르지만 대부분 '앱 사용 중에만 허용' 또는 '허용'을 누르면 됩니다.

7.

'앱 사용 중에만 허용' 누르기

8.

'허용' 누르기

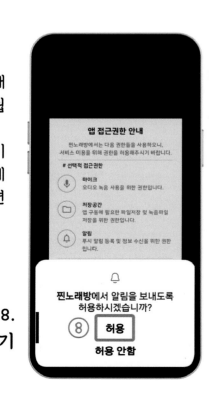

3) 앱 설치 삭제, 홈 화면에 추가

• 내 스마트폰에 설치 된 필요 없는 앱을 설치삭제할 수 있다.

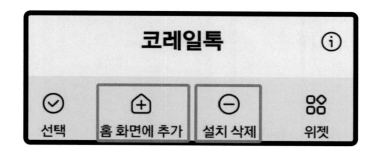

앱을 길게 누르면 위와 같은 메뉴 창이 뜹니다.

• '설치 삭제'를 누르면 앱이
  스마트폰에서 완전히 제거 됨.
• '홈 화면에 추가'를 누르면
  앱 아이콘이 홈 화면에 추가됨.

4) 앱 이동하기

한 개씩 이동하기

앱 이동
앱을 길게 꾹 누른 채로 상하좌우 원하는 위치로
끌고 가서 떨어트려 놓기

화면의 좌우 모서리까지 끌고 가면
다음 페이지로 이동 시킬 수 있음

한꺼번에 여러 앱을 선택하여 이동하기

한꺼번에 선택할 여러 앱 중 우선 하나의 앱을 길게 꾹~ 누르면 메뉴창이 뜹니다.

1.

등장한 메뉴창의 [⊘ 선택]누름

2.

선택된 앱에 ✅ 표시 됨

3.

앱을 여러 개 순차적으로 선택

4.

선택된 앱들 중에 하나를 길게 누른 채 상하좌우 원하는 위치로 끌고 가 떨어트림

5) 앱 폴더 만들기, 편집, 삭제하기

• 비슷한 종류의 앱을 폴더에 넣어 화면을 효율적으로 관리할 수 있다.

폴더 만드는 방법 1

1.
폴더로 묶고 싶은 앱1을
꾹 눌러 끌어다가 앱2 위에
겹쳐서 떨어뜨리기

2.
'폴더 이름'을 눌러
원하는 명칭을 입력하기
예> 교통

3.
'완료' 누르기

폴더 만드는 방법 2

• 관련된 앱들을 한꺼번에 선택 후 하나의 폴더에 모아 넣을 수 있다.

1.
앱 폴더에 넣을 앱들을 모두
선택하기
2.
상단메뉴의 '폴더추가' 누르기
3.
폴더이름 눌러 입력
4.
'완료' 누르기

 상단 메뉴의 '설치삭제'를 누르면
앱들이 한꺼번에 삭제 됩니다.

앱폴더에 앱 추가하기

• 만들어진 앱 폴더에 새로운 앱을 추가해 넣을 수 있다.

1.
앱 폴더 누르기

2.
+ 누르기

3.
추가할 앱 선택
(여러 개 선택 가능)

4.
'완료' 누르기

앱 폴더 삭제하기

1.
앱 폴더를 길게 누르기

2.
'폴더 삭제' 누르기

 앱 폴더를 삭제하면 폴더만 삭제되고 앱은 삭제되지 않습니다.

4. 내비게이션 바

1) 내비게이션 바 살펴보기

• 내비게이션 바(Navigation Bar)는 화면의 하단에 위치한 막대 모양의 인터페이스로 홈 버튼, 뒤로 가기 버튼, 최근 앱 버튼으로 구성되어 있습니다.

 게임이나 특정 앱 실행시 또는 내비게이션 바 숨기기 설정 시에는 내비게이션 바가 안 보일 수도 있습니다. 그럴 경우에는 화면의 바닥면 부위를 위로 쓸어올리면 나타납니다.

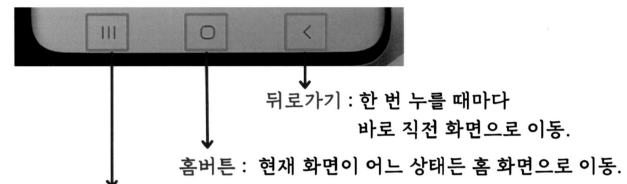

뒤로가기 : 한 번 누를 때마다 바로 직전 화면으로 이동.

홈버튼 : 현재 화면이 어느 상태든 홈 화면으로 이동.

최근사용앱 : 최근에 실행한 앱 확인.
좌우로 이동해서 앱을 찾아 실행할 수 있음.
앱을 위로 날려 종료할 수 있음.
'모두닫기'를 눌러 모든 앱을 종료할 수 있음.

최근 실행앱

홈버튼

뒤로가기

2) 내비게이션 바 편집하기

• 내비게이션 바의 버튼 순서를 바꿔 나에게 맞춤 편집

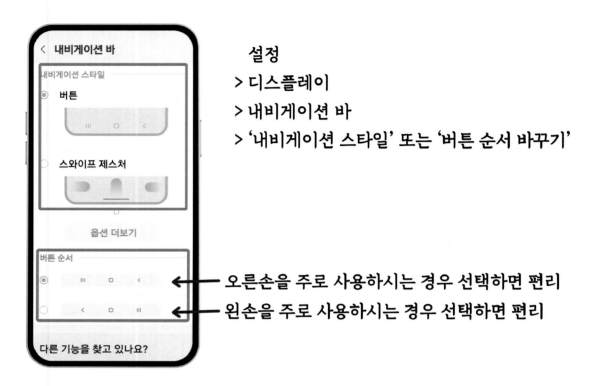

설정
> 디스플레이
> 내비게이션 바
> '내비게이션 스타일' 또는 '버튼 순서 바꾸기'

← 오른손을 주로 사용하시는 경우 선택하면 편리
← 왼손을 주로 사용하시는 경우 선택하면 편리

• 내비게이션 바를 숨길 수 있음

설정
> 유용한 기능
> 화면 캡처 및 화면 녹화
> 내비게이션 바 숨기기

5. 상태표시줄

- 스마트폰 화면의 제일 윗 줄에 고정적으로 위치하며 내 스마트폰의 현재 상태를 나타내는 '상태 아이콘'과 알림이 온 '앱 아이콘'들이 나열됩니다.

- 상태 아이콘

아이콘	설명
⊘	신호 없음
.ıll	서비스 지역의 신호 세기 표시
R.ıll	로밍 중
3G	3G 네트워크에 연결됨
LTE / LTE⁺	LTE 네트워크에 연결됨
5G	5G 네트워크에 연결됨
5G	5G 네트워크를 포함한 LTE 네트워크 안에 있으며 LTE 네트워크에 연결됨
🛜	Wi-Fi에 연결됨
✳	블루투스 기능 켜짐
🖊 / 🖊	S펜 연결/연결 해제
🖊	S펜 배터리 양 표시
📍	위치 서비스 사용 중
📞	음성 전화 수신
↘	부재중 전화
💬	문자 또는 MMS 수신
⏰	알람 실행 중
🔇 / 📳	무음 모드/진동 모드
✈	비행기 탑승 모드 실행 중
⚠	오류 발생 또는 주의 필요
🔋 / 🔋	배터리 충전 중/배터리 양 표시

참고

이 책에서는 기본적인 상태 아이콘 위주로 설명드렸습니다. 이 외에도 상태를 나타내는 아이콘은 많이 있습니다. 스마트폰 기기 종류에 따라 아이콘들이 추가되기도 하고 앱 아이콘들이 상태표시줄에 나타나기도 합니다.

6. 알림창

1) 알림 창 열기

알림창이란?
새로운 알림과 정보를
요약해서 보여주는 화면.

홈 화면에서
손가락을 화면 위쪽
가장자리에 살짝 댄 채로
아래로 밀면
알림창으로 이동 함.

2) 알림창 살펴보기

와이파이, 소리/진동,
블루투스, 화면 회전,
비행기모드,
손전등 등 자주 쓰는
버튼을 배치해 빠르게
설정할 수 있음.

설정 열기

화면 밝기 조절

앱 별로 알림 내용을 간략히
볼 수 있음.
꺽쇠를 누르면 알림 갯수대로
볼 수 있음.
클릭하면 해당 앱으로 들어가
자세한 알림 내용을 확인할 수
있음.

앱의 알림을
켜고 끄기

받은 알림을 모두 삭제함

3) 앱 알림 설정하기

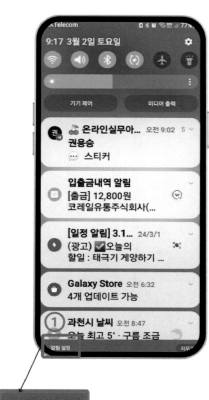

알림 설정

1.
알림창에서 왼쪽 하단의
'알림설정' 누르기

2.
앱 목록 중 알림을 받고
싶은 앱은 오른쪽 토글 버
튼(활성화 버튼)을 눌러
켜고 알림을 받고 싶지 않
은 앱은 끄기

토글이 뭘까요?

'토글'이라는 단어는 영어 단어 'toggle'에서 왔어요.
'토글'은 두 가지 상태를 번갈아 가며 작동하는 장치를 의미합니다.
스마트폰 토글의 경우, 켜기/끄기라는 두 가지 상태를 번갈아 가며 작
동하는데, 전등 스위치를 생각하면 이해하기 쉬워요.
토글을 사용하면 터치 동작만으로 자주 사용하는 기능을 빠르고 쉽게
켜고 끌 수 있어 아주 편리합니다.

7. 빠른 설정 창

1) 빠른 설정 창 열기

1.
홈 화면을 아래로 밀면
알림창으로 이동하고
알림창 상단에서
한 번 더 아래로 밀면
빠른 설정 창으로 이동함.

2.
홈 화면 상단에서
손가락 두 개를 댄 채로
아래로 밀면 빠른 설정
창으로 한 번에이동함.

2) 빠른 설정 창 살펴보기

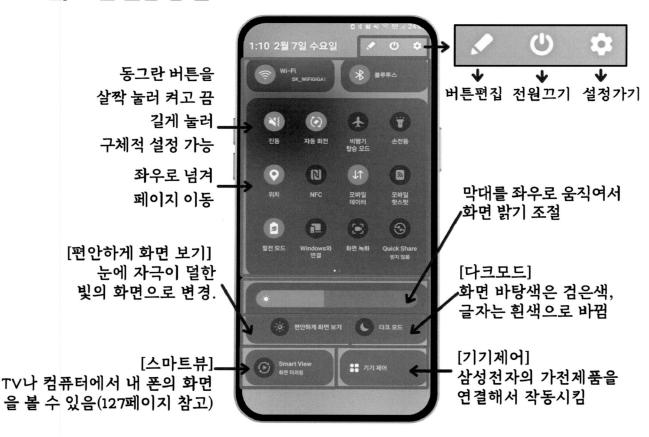

버튼편집   전원끄기   설정가기

동그란 버튼을
살짝 눌러 켜고 끔
길게 눌러
구체적 설정 가능

좌우로 넘겨
페이지 이동

막대를 좌우로 움직여서
화면 밝기 조절

[편안하게 화면 보기]
눈에 자극이 덜한
빛의 화면으로 변경.

[다크모드]
화면 바탕색은 검은색,
글자는 흰색으로 바뀜

[스마트뷰]
TV나 컴퓨터에서 내 폰의 화면
을 볼 수 있음(127페이지 참고)

[기기제어]
삼성전자의 가전제품을
연결해서 작동시킴

3) 빠른 설정 버튼 관리하기

• 자주 쓰는 순서대로 빠른 설정 버튼을 배치할 수 있다.

1.
빠른설정 창에서
연필 아이콘 누르기

2.
'전체'의 '편집' 누르기

• 필요 없는 버튼은 삭제하고, 필요한 버튼을 추가할 수 있다.

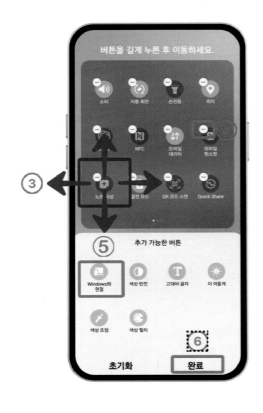

3.
이동 시킬 버튼을 길게 누른 채
원하는 위치로 끌고 가 떨어뜨림

4.
삭제할 버튼은 ⊖ 누르기

5.
'추가 가능한 버튼' 목록 중 빠른 설정
목록에 추가하고 싶은 버튼을 누르기

6.
'완료' 누르기

제2장
디스플레이 설정

설정 찾기

1.

아래로 내리기

2.

홈 화면 아래로 쓸어 내린 뒤
오른쪽 상단 톱니바퀴 누르기

설정아이콘 홈화면에 추가하기

1.

홈 화면을 위로 쓸어올려
앱스 화면으로 이동

2.

상단 검색창에 '설정'입력

3.

설정아이콘 길게 누르기
(짧게 누르면 앱이 실행됨)

4.

메뉴 창에서
'홈 화면에 추가' 누르기

1. 다크모드 설정

라이트모드

다크모드

설정
> 디스플레이

라이트 모드는
흰 바탕에 검은색 글자.

다크 모드는
검은 바탕에 하얀색 글자로
눈부심을 막아 줌.

'다크 모드 설정'을 눌러 들
어가면 내가 원하는 시간 동
안만 다크 모드로 전환되도
록 정할 수 있다.

2. 화면 밝기 조절 방법 2가지

방법 1. 빠른 설정창

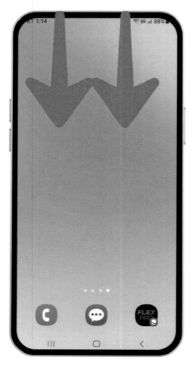

1.
홈 화면 상단에서
두손가락으로 화면을
아래로 내리기

2.
조절바를 좌.우로 움직여
밝기 조절하기
다크모드, 편안하게 화면 보기
선택으로 화면 조절 가능.

방법 2. 설정 - 디스플레이

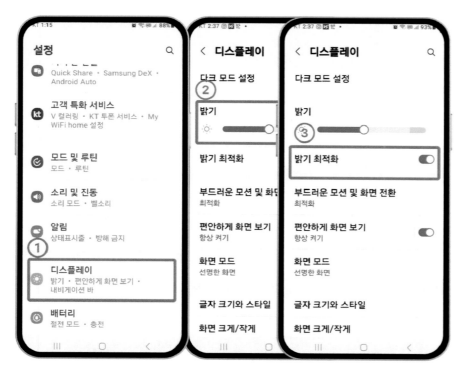

1.

설정 화면에서
디스플레이 누르기

2.

밝기 바를 조절
오른쪽으로
갈수록 밝아짐

3.

밝기 최적화 버튼을
켜두면 자동으로
밝기가 조절됨

3. 편안하게 화면보기

- 편안하게 화면 보기 기능은 블루라이트를 감소시켜 눈의 피로를 줄여준다.

4. 글자크기와 스타일

• 시니어분들은 글자크기와 굵기를 조절하여 화면의 글자를 크게 볼 수 있다.

글자크기 미리 확인 가능
이 창에서 확인 가능

설정
> 디스플레이
> 글자 크기와 스타일
> 글자크기 조절 바를
　좌우로 움직이며 조절

5. 화면 자동 꺼짐 시간 설정

• 화면 자동 꺼짐 시간이 너무 짧으면 화면이 자주 꺼져 번거로울 수 있다.

설정 ⚙
> 디스플레이
> 화면 자동 꺼짐 시간
> 원하는 시간 선택

6. 엣지패널

엣지 패널은 화면 가장자리(Edge)에 숨겨진 기능 패널로, 자주 사용하는 앱, 기능, 연락처 등을 빠르게 실행할 수 있도록 도와줍니다. 화면이 켜진 상태에서 엣지 패널 핸들을 화면 바깥쪽에서 안쪽으로 당기면 엣지 패널이 실행됩니다.

1) 엣지 패널 켜고 패널 선택하기

2) 스마트 셀렉트

(1) 원하는 영역 사각형으로 캡쳐해서 저장하기
(2) 원하는 영역 타원형으로 캡쳐해서 저장하기
(3) 고정 기능 사용하고 삭제하기
(4) 애니메이션 기능 사용하기
(5) 문자 부분만 스캔하거나 복사 번역 공유하기

3) 사람 패널

4) 애플리케이션 패널

5) 도구 패널

(1) 나침반 사용하기
(2) 계수기 사용하기
(3) 수평기 사용하기
(4) 자 사용하기

6) 엣지 패널 핸들 조정하기

(1) 위치와 색 변경하기
(2) 투명도, 크기, 너비 변경하기
(3) 폰 화면에서 엣지패널 기능 변경하기

1) Edge 패널켜고 패널 선택하기

설정 ⚙️
> 디스플레이
> Edge 패널 사용중으로
켜두기
- 패널(사용할 앱 체크하기)
- 핸들(좌.우 위치 정하기)
- 스타일(원하는 색을 지정하기)
- 투명도(낮음으로 갈수록 진해짐)
- 크기 (길이 조절)
- 너비 (폭 조절)
- 홈화면에서 Edge바 확인하기

- 패널에서 많이 사용하는 스마트셀렉트, 사람, 애플리케이션, 도구 선택한다

2) 스마트 셀렉트 사용하기

(1) 원하는 영역을 사각형으로 캡쳐해서 저장하기

1.
왼쪽 상단에 있는 '사각형'
누르기

2.
네모 도형 모서리를 손끝으로
누르고 드래그 하여
캡쳐하고 싶은 영역 선택

3.
'완료' 누르기

4.
'저장' 버튼 누르기

(2) 원하는 영역을 타원형으로 캡쳐해서 저장하기

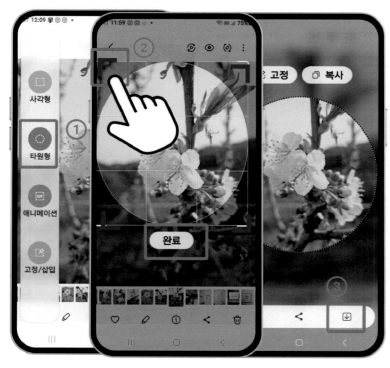

1.
'타원형' 누르기

2.
손끝으로 모서리를 눌러
드래그 하여 원하는 원모양
만들고 '완료' 버튼 누르기

3.
'저장' 버튼 누르기

(3) 고정 기능 사용하고 삭제하기

• 꼭 기억해야 할 중요한 내용을 잊어버리지 않으려 할 때 사용하고 삭제합니다

스마트 셀렉트 사각형이나 타원형
기능으로 캡쳐한 다음
'완료'를 누르면 상단에
'고정' 버튼이 생김

1.
'고정' 누르기

2.
모든 화면 위에 고정되어 있음을 확인

3.
이미지 살짝 누르면 뜨는 메뉴
오른쪽 x 버튼 누르면 제거됨

(4) 애니메이션 기능 사용하기

• 동영상을 보다가 일부만 캡쳐하고 싶을 때 사용한다. 녹화시 음성은 제외된다.

1.
동영상을 플레이 시켜놓은 상태에서
'애니메니션' 누르기
2.
영역을 드래그해서 설정하고
'녹화'버튼 누르기

3.
'중지' 누르기
(15초 까지 가능)
4. 저장 아이콘누르기

(5) 문자 부분만 복사, 번역, 공유하기

- 스마트 셀렉트 사각형으로 캡쳐한 다음 '완료'누르면 오른쪽 하단에 T 아이콘 생김

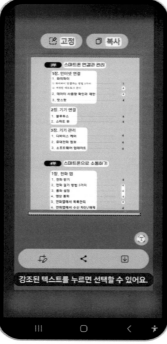

1.

T 아이콘 누르기
(폰기종에 따라 위치가 다를
수 있음)
문자만 범위 설정된 것 확인

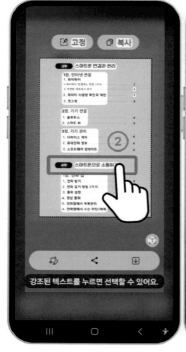
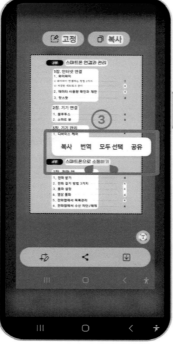

2.

문자 부분을 손가락으로 꾹 누르면
영역이 선택됨

3.

원하는 부분만 파란 물방울 모양을
잡고 이동해서 선택
또는 '모두 선택' 누른 후에
전체 선택 가능

- 번역, 복사, 공유 가능

3) 사람 패널

'연락처 선택'누른후
선택하고 '완료'누름
(최대 12명까지
선택 가능)

사람에 체크하기
하단에
'편집' 누르기

4) 애플리케이션 패널

1.
자주 사용하는
앱 선택하기
2.
패널에 등록
되었는지 확인하기

애플리 케이션에
체크하기
하단에 '편집' 누르기

5) 도구 패널

도구에 체크하기
하단에 '편집'누르기

'위치정보 사용'
켜두기

(1) 나침반 사용하기

• 나침반 사용시

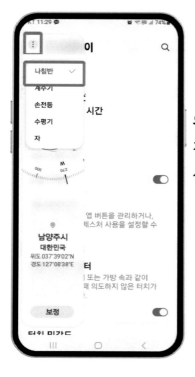

왼쪽 상단에 있는
점세개를 눌러 '나침반'
선택하기

(2) 계수기 사용하기

- 숫자 세기가 헷갈릴 경우 계수기 이용해 숫자를 정확히 셀 수 있다

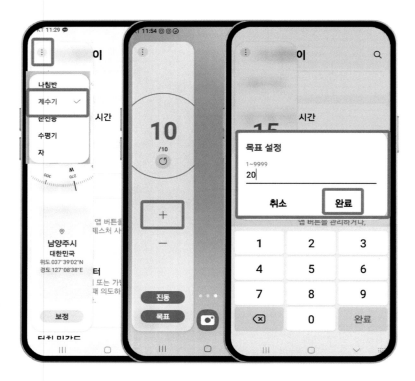

1.
왼쪽 상단에 있는
점선을 눌러 '계수기'
선택하기

2.
더하기나 빼기 버튼을 눌러
숫자를 계산

3.
진동이 켜진 상태에서
목표 수를 정하고 '완료'
누르면 목표에 도달했을 때
진동이 울린다

(3) 수평기 사용하기

- 수평기 사용시

하단에 '초기화'를
누르고 물건의 수평이
맞는지 확인하기
+ 에 동그라미가
들어가면
수평이 맞음

왼쪽 상단에 있는
점선을 눌러 '수평기'
선택하기

(4) 자 사용하기

• 자 사용시

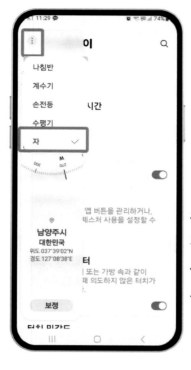

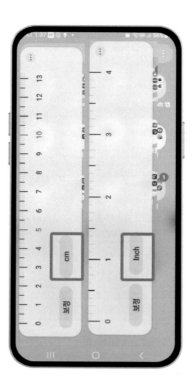

cm나,inch로
변경해
사용가능

왼쪽 상단에 있는
점 세개 버튼을
눌러 '자'를
선택하기

6) Edge 패널 핸들 조정하기

(1) 위치와 색 변경하기

엣지 패널의 위치를
화면 왼쪽 또는
오른쪽으로
변경할 수 있다

패널의 색을
변경할 수 있다

(2) 투명도, 크기, 너비 변경하기

- 눈에 띄기 쉽게 투명도는 낮추고, 크기는 크게, 너비는 굵게 설정해보자

(3) 폰 화면에서 엣지패널 기능 변경하기

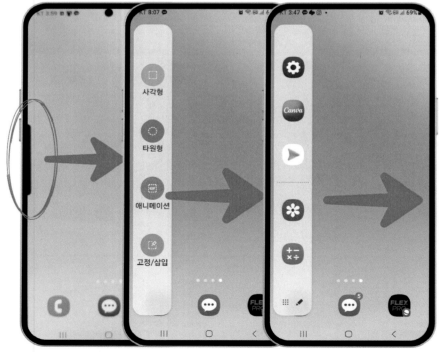

화면 가장자리에 있는
핸들을 당기면
엣지패널이 뜨고
당길 때마다
패널 종류가 바뀐다

제3장
소리 및 진동

1. 소리 및 진동 설정 방법 3가지

1) 설정에서 소리 및 진동 조절하기

2) 알림창 상단 메뉴에서 소리 및 진동 조절하기

3) 빠른 설정에서 소리 및 진동 설정하기

2. 음량 조절하기

1. 소리 및 진동 설정 방법 3가지

1) 설정에서 소리 및 진동 설정하기

1.

화면을 스마트폰 윗면
모서리에서 아래로 밀어
설정 아이콘 누르기

2.

'소리 및 진동' 누르기

3.

소리, 진동, 무음 중
선택하기

2) 알림창 상단 메뉴에서 소리 및 진동 설정하기

소리   진동   무음

1.

화면을 위쪽 끝에서
아래로 쓸어 내리기

2.

소리 아이콘을 누를때마다
소리, 진동,무음으로
변경 설정됨

3) 빠른 설정에서 소리 및 진동 설정하기

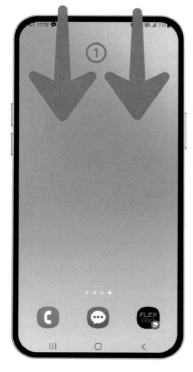

1.
화면의 위쪽 끝에서
두 손가락으로
한번에
아래로 쓸어 내리기

2.
소리 아이콘을 눌러가며
소리, 진동,무음으로
설정하기

2. 음량 조절하기

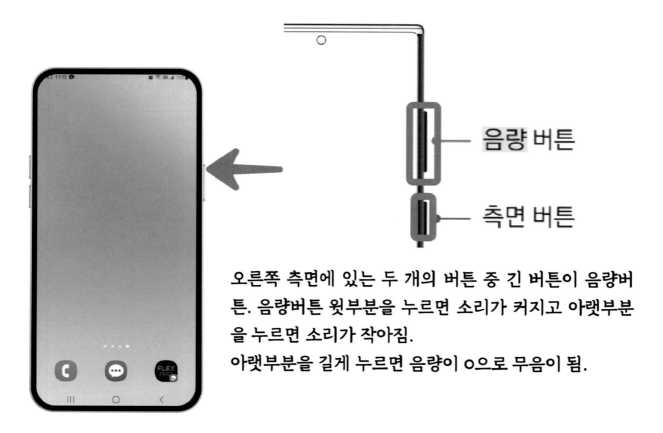

음량 버튼

측면 버튼

오른쪽 측면에 있는 두 개의 버튼 중 긴 버튼이 음량버튼. 음량버튼 윗부분을 누르면 소리가 커지고 아랫부분을 누르면 소리가 작아짐.
아랫부분을 길게 누르면 음량이 0으로 무음이 됨.

제4장
스마트폰 키보드

스마트폰 키보드

스마트폰 키보드를 사용하면 사용자는 다양한 앱에 텍스트, 숫자, 기호를 입력할 수 있습니다. 여기에는 자동 수정, 입력 속도를 높이는 자동 완성 텍스트, 이모티콘 , 편리한 입력을 위한 음성 입력과 같은 기능이 포함 됩니다. 또한 키보드는 사용자 정의 옵션을 통해 맞춤 설정이 가능합니다.

1. 스마트폰 키보드 종류

대부분의 스마트폰에는 천지인, 쿼티, 단모음 키보드 등
다양한 종류의 키보드가 내장되어 있으며, 특별한 키보드를 다운
받아서 사용할 수도 있습니다.

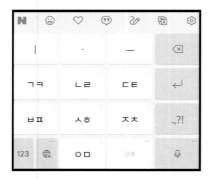
천지인 자판

쿼티 자판

단모음 자판

2. 스마트폰 키보드 변경

설정 > 일반 > 삼성 키보드 설정 > 언어 및 키보드 형식 > 한국어
> 목록에서 원하는 키보드 선택하고 누르기

설정 > 일반 > 삼성 키보드 설정 > 고대비 키보드를
눌러 키보드 색상을 눈에 띄게 변경할 수 있습니다.

3. 천지인 키보드 익히기

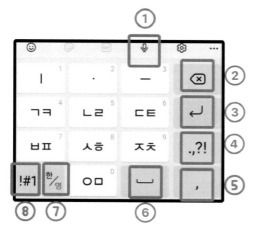

1. 음성녹음 상태로 전환
2. 커서 앞의 단어 지우기
3. 줄바꾸기. 인터넷검색할 때는찾기 🔍 로 바뀜
4. 구두점. 2초이상 누르면 특수문자 선택
5. 구두점. 2초이상 누르면 한자 변환 가능
6. 띄우기. 누를 때마다 한 칸씩 오른쪽으로 이동
7. 한글, 영어 전환
8. 한번 누르면 숫자, 한 번 더 누르면 특수문자
   '1/3' 누르면 특수문자가 두 페이지 더 나옴

4. 음성으로 키보드 입력

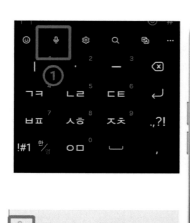

갤럭시 S24 기기에는
음성녹음 버튼이
왼쪽 아래에 있어요

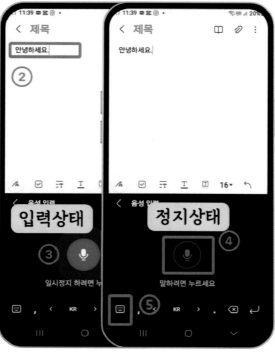

1.
천지인 키보드에서
마이크 아이콘 누르기

2.
음성입력상태에서
말을 하면 문자입력

3.
마이크를 누르면 정지

4.
마이크를 다시 누르면
입력상태로 바뀐다

5.
키보드 상태로 바꾸기

5. 이모티콘 사용

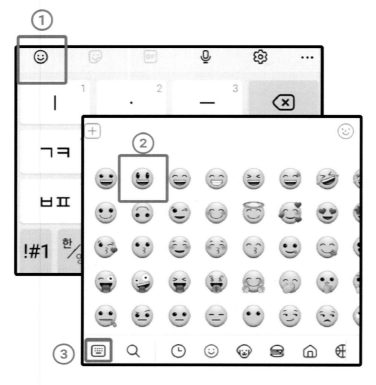

1.
자판 위에 있는 키보드
툴바에서 스마일 모양 누르기

2.
마음에 드는 이모티콘 누르기

3.
왼쪽 아래 자판 아이콘을 누르면
다시 키보드가 나타난다

6. 편리한 단축어 등록하고 사용하기

1) 단축어 등록하기

설정
> 삼성 키보드
> '단축어' 누르기
> 오른쪽 상단의
  + 버튼 누르기
> 단축어 입력
> 전체문구 입력하고
  '추가' 누르기

2) 등록한 단축어 사용

1.

입력창에서
단축어 입력하고
키보드 툴바 왼쪽에
등록문장이 뜨면 누르기

2.

화면에 뜬 단축어 문구
확인 후 보내기 버튼을 누르면
등록한 문장이 보내진다

7. 키보드 자판연습 앱

• 플레이스토어 앱 설치 방법은 교재 p31 쪽 참고

1. 플레이스토어 검색창에서 '자판연습' 입력 후
   보여지는 앱 중에서 '스마트타자연습' 누르기

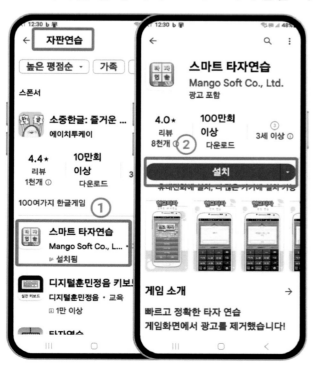

2.

'설치' 누르기
현교타자가
설치됨

단어연습, 문장연습, 타자게임을
통해 스마트폰의 자판을 익혀봐요

2부

소통
하기

제5장
전화앱

1. 전화 받기

- 전화벨 소리가 울릴 때 스마트폰을 엎으면 벨소리가 멈춤.

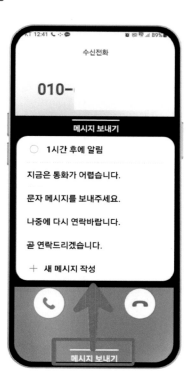

전화를 받을 상황이 아닐 때
'메시지 보내기' 글자를
위로 쓸어 올려
메세지를 골라 보낼 수 있음

'+ 새 메세지 작성'을 눌러
내가 원하는 메세지를
저장해 놓을 수 있음

2. 전화 걸기 방법 3가지

방법 1. 키패드

1.

[키패드]
전화번호 입력 후
전화기 아이콘 터치

2.
전화번호 입력

3.
통화 버튼 누르기

방법 2. 최근기록

• 전화 앱에 있는 키패드, 최근기록, 연락처 탭에서 각각 전화 걸기 가능

2. 통화 목록 중 전화 상대 이름 누르기

3. 통화 버튼 누르기

1. '최근기록' 누르기

방법 3. 연락처

연락처 탭 누르기 상단 검색창 이름 입력 이름 확인 통화 버튼 누르기

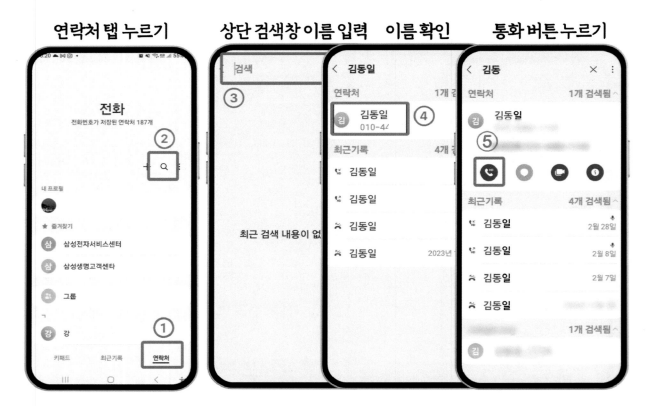

3. 통화 설정

1) 전화를 받거나 끊는 방법 설정하기

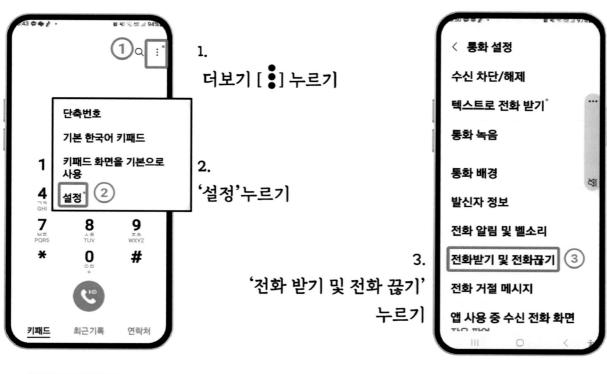

1.
더보기 [:] 누르기

2.
'설정' 누르기

3.
'전화 받기 및 전화 끊기'
누르기

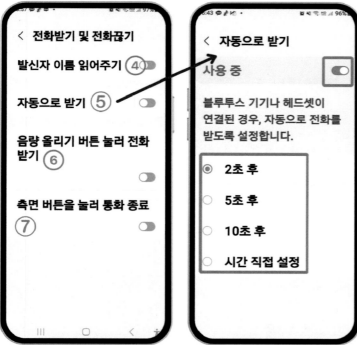

4.
'발신자 이름 읽어주기' 버튼 누르기

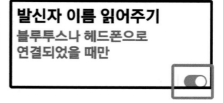

5.
'자동으로 받기'
 시간 설정 누르기

6. 음량올리기 버튼 눌러 전화 받기
   1) 버튼 누르기
   2) 수신 시 밀어서 통화 가능

7. 측면 버튼 눌러 통화 종료 활성화

2) 텍스트로 전화 받기

인사말

1.
'텍스트로 전화 받기'

2.
'사용 중' 활성화

3.
'인사말' 누르기

4.
'저장' 누르기

빠른응답

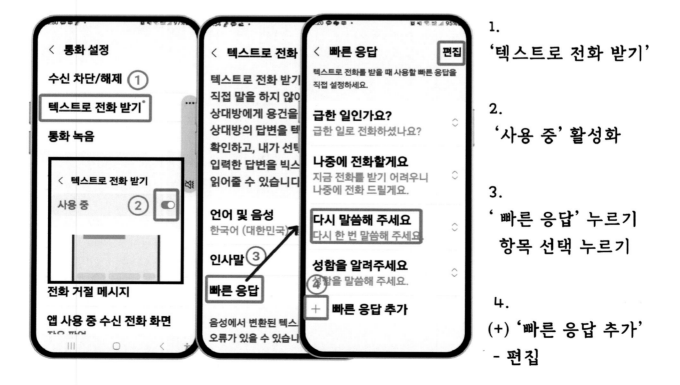

1.
'텍스트로 전화 받기'

2.
'사용 중' 활성화

3.
' 빠른 응답' 누르기
항목 선택 누르기

4.
(+) '빠른 응답 추가'
- 편집

4. 영상 통화

1) 연락처, 최근기록 영상통화

1.

상대 이름 찾아 누르기

2.

세 번째 카메라
(캠코더) 버튼

영상 통화를 받을 수 없을 때
'메시지 보내기'를 쓸어 올려
메세지를 골라 보낼 수 있음
'내 영상 숨기기'를 누르면
나는 상대를 보지만 상대는
나를 못 봄

2) 음성 통화 하다가 영상 통화로 바꾸기

1.

음성 통화 중인 화면에서
영상통화(캠코더) 버튼 누르기

2.

상대방이 '수락' 누르면
영상통화로 전환됨

3) 영상 통화 조작 3가지 방법

종료 방법

1.
영상통화를
종료하려면 화면 누르기

2.
아래에 뜨는 메뉴에서
전화종료 아이콘 누르기

영상통화 화면, 소리 조절하기

1.
내 얼굴 비추는 카메라 켜고 끄기
2.
카메라 전,후면 전환
3.
통화 종료
4.
내 소리 차단하기
5.
스피커폰으로 통화하기

영상통화 화면 효과주기 방법 3가지

통화 중 화면에서
효과 누르기

1. 레이아웃 선택

2. 필터 선택

3. 이모지 선택

[영상통화 화면]에 보여지는 2장의 이미지는 Playground AI로 생성함

5. 전화앱에서 목록 삭제하기

1) 최근 기록에서 목록 삭제 하기

방법 1

1.
전화앱 누르기
2.
'최근기록' 누르기
3.
삭제할 번호 꾹~
누르기
4.
하단에 있는
'삭제' 버튼 누르기

방법 2

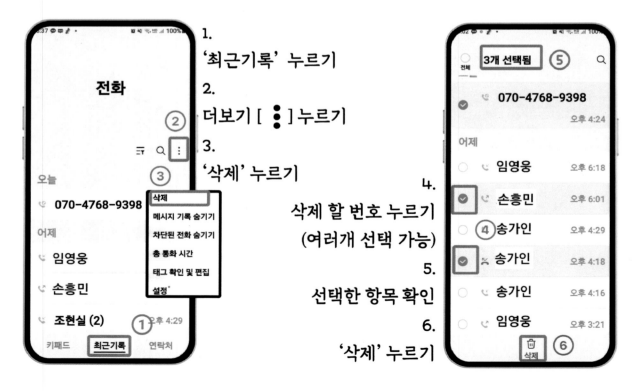

1.
'최근기록' 누르기
2.
더보기 [⋮] 누르기
3.
'삭제' 누르기
4.
삭제 할 번호 누르기
(여러개 선택 가능)
5.
선택한 항목 확인
6.
'삭제' 누르기

2) 연락처에서 목록 삭제하기

1.
연락처 누르기

2.
오른쪽 상단 점 세개
더보기 버튼 누르기

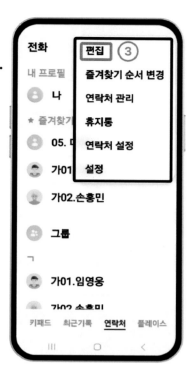

3.
'편집' 누르기

4.
삭제 할 번호 누르기
(여러 개 선택 가능)

5.
'삭제' 누르기

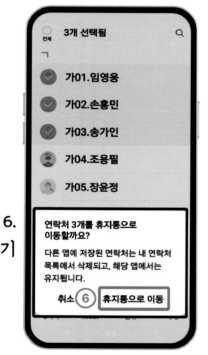

6.
'휴지통으로 이동' 누르기

6. 전화 앱에서 수신 차단/해제

수신차단/ 해제 알려줘

반가운 이에게 오면 즐겁지만 받고 싶지 않은 전화,
광고나 스팸 전화가 오면 기분이 나빠집니다
스팸 문자와 전화를 수신 차단하는 방법이 있습니다
수신 차단 및 해제 방법을 알려 드립니다

수신 차단 :
스마트폰은 수신차단 기능을 내장하고 있어 전화를 거절할 수 있습니다
전화가 오면 거절 옵션을 선택하거나 해당 전화번호를 차단할 수 있습니다

수신 차단 해제 :
차단된 번호를 다시 해제하려면 전화 설정에서 해당 번호를 찾아 차단을 해제할 수 있습니다

1) 전화앱에서 수신 차단/해제 가기

전화 아이콘을 눌렀을 때 나오는 키패드, 최근기록, 연락처 탭 모두 공통

전화 아이콘 > 오른쪽 상단 더보기 [⋮] > 설정 > 수신 차단/해제

2)전화앱 설정에서 전화 차단하는 3가지 방법

방법 1. 전화번호를 알고 있을 때

1.

수신 차단/해제에서
차단할 전화번호 입력

2. + 누르기

3.

'이 번호의 전화 또는
메시지를 더 이상 받지 않아요.'
메시지가 뜨고
아래 차단 목록에 추가됨
(차단을 해제할 때는
오른쪽 - 버튼 누르기)

방법 2. 최근 기록, 메시지, 연락처에서 찾아 차단

• 폰 기종에 따라 화면 구성이 조금씩 다르다.

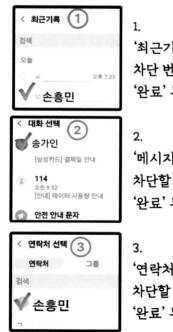

1.

'최근기록' 눌러
차단 번호 선택하고
'완료' 누르기

2.

'메시지' 눌러
차단할 메시지 선택하고
'완료' 누르기

3.

'연락처'눌러
차단할 연락처 선택하고
'완료' 누르기

방법 3. 특정한 번호와 일치할 때, 특정한 번호로 시작하거나 끝날 때, 특정한 번호를 포함하는 전화 수신 차단하기

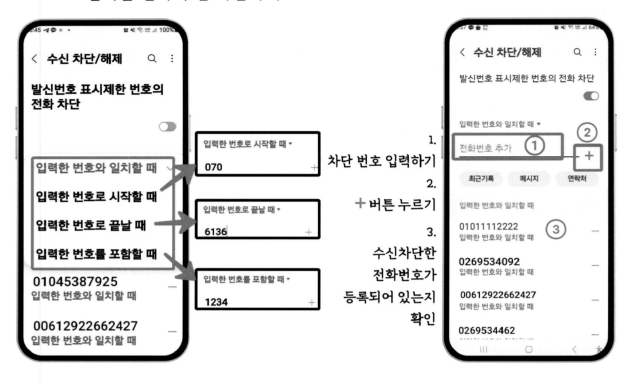

3) 전화앱 최근기록에서 수신 차단

4) 전화 차단 해제

• 전화 아이콘 > 오른쪽 상단 더보기 [⋮] > 설정 > 수신 차단/해제 <p80 참조>

1.
차단을 해제할
전화번호 찾기
2.
— 누르기

클립보드가 뭘까요?

클립보드는 복사한 텍스트나 사진을 잠시 저장해두고
다른 앱에서 붙여넣을 수 있게 해주는 스마트폰의 비밀 보관함입니다. 클립보드 기능을 이용하면 메시지에서 친구에게 주소를 복사해서
카카오톡으로 붙여넣거나, 인터넷에서 재미있는 사진이나 중요한 정보를 복사해서 메모 앱에 붙여넣을 수 있어요.

제6장
안전 및 긴급

안전 및 긴급 기능

갑작스러운 사고나 환자가 의식을 잃는 등 위급한 상황이 발생될 경우 타인이 내 스마트폰의 잠금을 해제하지 않고도 긴급 연락처, 의료정보를 보고 도움을 줄 수 있습니다. 안전 및 긴급 기능은 미리 설정해 두면 위급한 상황에서 유용하게 사용할 수 있으므로, 적극적으로 활용하는 것이 좋습니다.

긴급 연락처 설정 : 위급 시 스마트폰에 비밀번호가 걸려있더라도 급하게 연락을 취할 보호자를 확인할 수 있습니다.
의료 정보 설정 : 기저질환이나 복용하고 있는 약 등의 정보를 알 수 있습니다.

1. 의료정보

• 의료 정보 내용 작성 또는 수정 방법

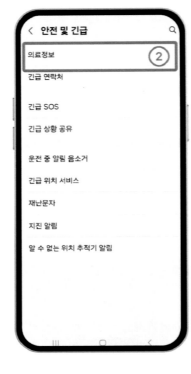

스마트폰 설정
> 안전 및 긴급
> 의료정보

이름, 건강상태, 알레르기, 복용 중인 약, 혈액형, 체중, 키, 생년월일, 주소, 현재 치료중인 병원과 주치의 이름, 장기 기증 동의여부 등의 정보를 사전에 스마트폰에 기록해 두기

3.
연필(편집)기능을 통해
내용 수정 가능

4.
개인 의료정보를
상세히 기록하기

5.
'저장' 누르기

6.
'잠금화면에 표시' 켜기

2. 긴급 연락처

- 긴급 연락처 등록하기

스마트폰 설정
> 안전 및 긴급
> 긴급 연락처

위급한 상황에서 의료진이
내 스마트폰에 비밀번호가
걸려있어도 급하게 연락을
취할 보호자를 확인하여
연락 할 수 있는 기능

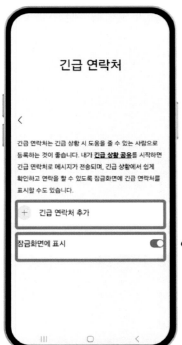

'잠금화면에 표시'
켜기

[+] 긴급연락처 추가를 통해 긴급상황 시
도움을 줄 수 있는 사람을 등록하기

3. 긴급 SOS

• 사용자가 SOS 기능 직접 설정

스마트폰 설정
> 안전 및 긴급
> 긴급 SOS

스마트폰의 긴급SOS 기능은 위급한 상황에서 신속하게 대처할 수 있도록 지원하는 기능입니다. 스마트폰의 초기 설정에서는 비활성화 되어 있으므로 사용자가 직접 설정해야 합니다.

전화 연결할 긴급 연락처는
특별한 경우가 아니라면
초기 설정된 119로 유지

3.
'통화버튼을 밀어 전화 걸기' 켜기
기능을 켠 상태에서 그림과 같이
긴급 상황에서 측면버튼 5회 아주
빠르게 누른 뒤 통화버튼 누르기

4.
'전화 연결할 긴급 연락처' 켜기

 빅스비 기능을 통해서도 SOS기능 사용 가능

제7장
연락처

연락처

스마트폰에서 연락처는 주소록이라고도 불리며
전화번호, 이메일, 이름 등을 저장해 두는 곳으로,
다른 사람들에게 전화를 걸거나 메세지를 보낼 수
있으며, 연락처를 활용하면 손쉽게 친구, 가족
및 동료들과 연락할 수 있습니다.

1. 연락처 추가하기

- 새로운 전화번호와 이름을 추가 할 수 있다.

1.
연락처 앱 누르기

2.
' + '버튼 누르기

3.
이름, 전화번호 입력 후
'저장' 누르기

4.
저장된 연락처의
이름과 전화번호
확인하기

2. 연락처 삭제하기

1.
연락처 앱 누르기

2.
삭제할 연락처를
꾹 눌러 '삭제'누르기
(연락처 다중선택이 가능하며,
선택된 연락처 앞 표시 확인)

3.
'휴지통으로 이동'
누르기

4.
연락처가 삭제
되었는지 확인하기

3. 연락처 편집하기

1.
연락처 앱 누르기

2.
'Q' (검색) 누르기

3.
편집하고자 하는
연락처를 검색 후
누르기

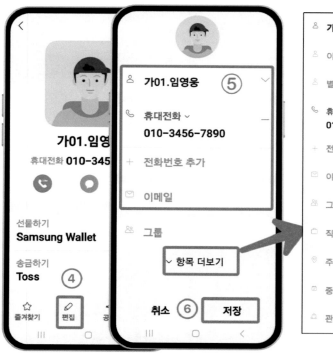 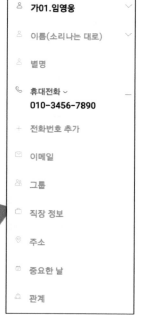

4 .
'편집' 누르기

5.
이름, 전화번호 등
편집하고자 하는 항목을
눌러서 입력하기
'항목 더보기'를 누르면
이메일, 직장 정보 등
추가 정보 저장 가능함)

6.
'저장' 누르기

4. 연락처 즐겨찾기 추가와 순서 변경하기

1) 연락처 즐겨찾기 첫 추가하기

1.
연락처 앱 누르기

2.
'즐겨찾는 연락처 추가'
누르기

3.
추가하고자 하는
연락처를 검색 후
누르기

4.
즐겨 찾기 하고 싶은
연락처 정하여
누르기
(여러 개 선택 가능)

5.
'완료' 누르기

6.
즐겨찾기 추가 된
연락처 확인하기

2) 연락처 즐겨찾기 추가하기

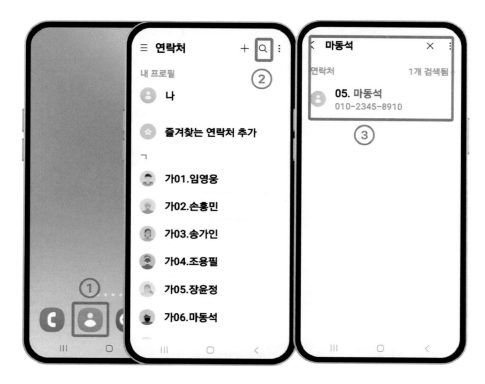

1.
연락처 앱 누르기

2.
'🔍' (검색) 누르기

3.
즐겨찾기 할 연락처
찾아 누르기

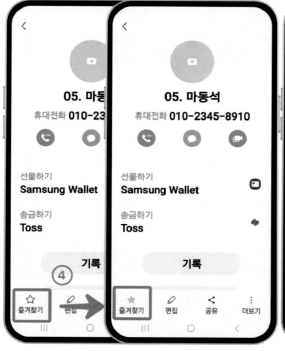

4.
'즐겨찾기' 누르기
(별이 노란색으로
채워짐)

5.
즐겨찾기 추가 된
연락처 확인하기

3) 연락처 즐겨찾기 순서 변경하기

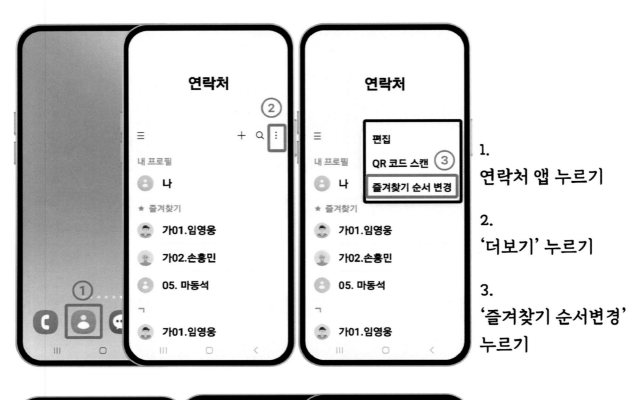

1.
연락처 앱 누르기

2.
'더보기' 누르기

3.
'즐겨찾기 순서변경'
누르기

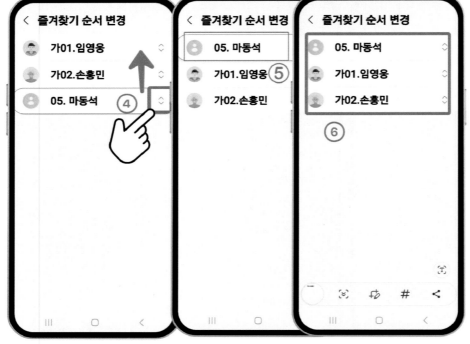

4.
순서를
변경 하고싶은
이름 끝에 있는
화살표를 꾹 눌러
끌어올리기

5.
변경 하고 싶은
순서로 이름 옮기기

6.
변경된 즐겨찾기 순서
확인하기

5. 연락처 수신차단과 해제하기

1) 연락처에서 수신차단하기

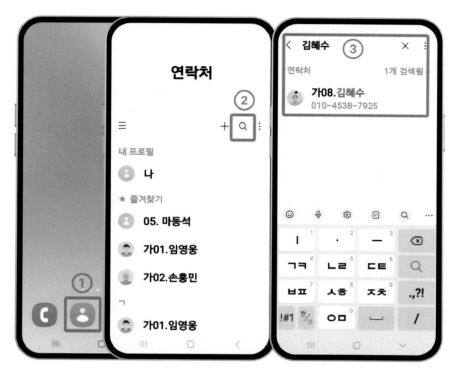

1.
연락처 앱 누르기

2.
'🔍 (검색) 누르기

3.
수신차단하고자 하는
연락처를 검색 후
누르기

4.
수신차단할
연락처를 확인 후
'더보기'누르기

5.
'연락처 차단'
누르기

7.
차단된 연락처
확인하기

6.
'차단' 누르기

  수신차단 된 전화번호 앞에는 🚫표시가 있음을 꼭~ 확인하기!

2) 연락처에서 수신 차단해제하기

1. 연락처 앱 누르기

2. 'Q' (검색) 누르기

3. 차단해제 할 연락처 누르기

4. '더보기' 누르기

5. '연락처차단 해제' 누르기

6. 수신차단 해제 된 연락처 확인 (전화번호 앞에 🚫 표시 없음)

 꿀팁 수신차단 해제된 전화번호 앞에는 🚫 표시가 없음을 꼭~ 확인하기!

제8장
문자메시지, 채팅+

문자메시지

스마트폰으로 가족에게 안부나 사랑의 메시지를 보낼 수 있습니다.
손편지를 온라인으로 보낸다고 생각하면 됩니다.
친구에게 나누고 싶은 장면이나 모습을 사진이나 영상에 담아 보낼
수도 있습니다. 또한 직접 자신의 음성을 녹음하여 메시지를 보낼
수도 있습니다. 예약 기능을 사용할 수도 있습니다.

스팸 메시지에 유의해야 함 (낯선 문자나 링크 클릭 금지, 스팸 신고하기)

1. 문자 메시지 창 열기

1.
홈 화면에서
문자앱 아이콘 누르기

2.
홈 화면 오른쪽 하단
말풍선 아이콘 누르기

3.
1:1 대화, 그룹 채팅,
단체문자 중 선택하기

2. 1대1 대화하기

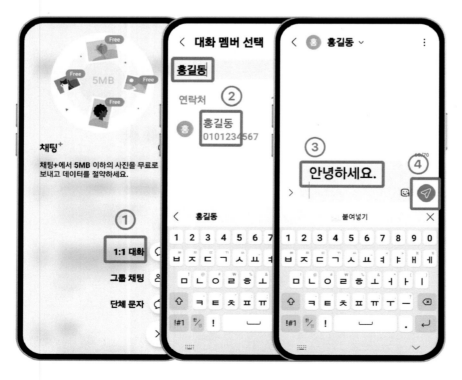

1.
1:1 대화 기능 누르기

2.
문자 보낼 대상 이름
찾아 누르기

3.
문자 입력 창에
키보드 입력
또는 마이크 눌러
음성 입력하기

4.
보내기 버튼 누르기

3. 단체문자 보내기

1.
'단체문자' 선택하여 누르기

2.
수신자 검색하여 목록에 이름이 뜨면
문자를 보내고자 하는 사람들을 모두
눌러 상단에 등록하기

3.
문자 입력 창에 키보드 입력 또는
마이크 눌러 음성 입력하기

4.
보내기 버튼 누르기

4. 문자 상단 고정하기

1.
대화 목록에서
고정하고 싶은 메시지
길게 꾹~ 누르기

2.
'맨 위에 고정' 누르기

3.
상단에 문자 메시지 고정 확인

상단고정 해제 할 때에도 같은 순서로 진행하여 '맨 위에 고정 해제' 누르기

5. 문자 메시지 삭제하기

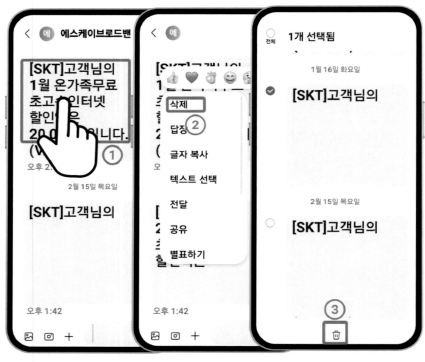

1.
대화 목록에서
필요 없는 대화 메시지
길게 꾹~ 누르기

2.
'삭제' 누르기

3.
화면 아래에 있는
휴지통 아이콘 누르기

삭제한 메시지는
휴지통으로 가서 30일
후에 완전히 삭제됨

6. 연락처 차단하기

1.
차단할 메시지
꾹~눌러 선택하기

2.
오른쪽 하단
'더보기' 누르기

3.
'차단' 누르기

4.
'대화삭제' 누르고
'차단' 누르기

7. 차단된 메시지 되살리기

1.
채팅창으로 들어가
오른쪽 상단의
[⋮ 더보기] 누르기

2.
'차단된 메시지' 누르기

3.
복원할 메시지 꾹 누르면
아래에 복원 버튼이 뜬다

4.
'복원' 누르면 문자메시지
함으로 복원됨

8. 문자 메시지에 사진이나 동영상 첨부하기

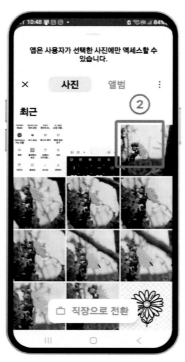

1.
문자 메시지 입력창 왼쪽에
있는 사진 아이콘 누르기
(카메라 아이콘을 누르면 바로
사진이나 동영상을 촬영해서
보낼 수 있다)

2.
갤러리 창이 뜨면 보내려고 하는
'이미지' 나 '동영상' 찾아 누르기

3.
문자 입력창 위에 선택한 사진이나
동영상이 등록 된 것을 확인한 후
대화 내용을 입력한다

4.
보내기 버튼 누르기

5.
사진과 함께 문자 메시지가
전달된 것을 확인할 수 있음

※ 잘못 선택한 사진을 삭제하려면
사진의 오른쪽 위 ⊖ 버튼을 누른다.

9. 스팸메시지 신고하기

 스팸 메시지는 불필요한 광고나 사기를 목적으로 보내는 메시지. 개인 정보 유출이나 금전적 손실을 초래할 수 있어 위험합니다. 예를 들어, 스팸 메시지에 포함된 링크를 클릭하면 악성 소프트웨어에 감염되거나 개인 정보가 도용될 수 있습니다.

[스팸 메시지 예방하려면]

- 알려지지 않은 번호나 의심스러운 메시지는 열어보지 않고 삭제하세요.
  메시지에 포함된 링크는 클릭하지 않는 것이 좋습니다.
  특히 개인 정보를 입력 하라는 요청이 있는 경우 더욱 주의가 필요합니다.
- 많은 스마트폰에는 스팸 메시지를 자동으로 필터링하는 기능이 있습니다.
  이 기능을 활성화하여 불필요한 스팸 메시지를 차단하세요.
- 스팸으로 의심되는 메시지를 인터넷진흥원에 신고할 수 있습니다.

1) 메시지 앱에서 차단 설정하기

2) 메시지 목록에서 연락처 차단하기

3) 메시지에서 스팸 신고하기

4) 메시지 앱의 '최근기록'에서 스팸 신고하기

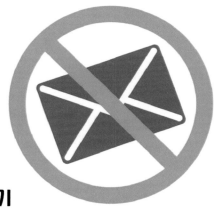

 스팸번호 해제는 전화수신차단 / 해제 부분을 참고하시기 바랍니다.
공통 P80, 해제는 P83

1) 메시지 앱에서 차단 설정하기

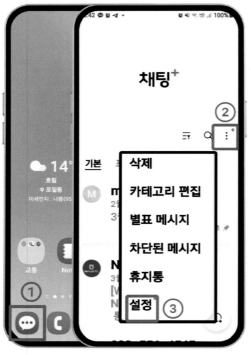

1.
메시지 앱
아이콘 누르기
2.
우측 점 세개
더보기 누르기
3.
'설정' 누르기

4.
'스팸 및 차단 번호
관리' 누르기

5.
발신번호 없는 메시지
차단 -> 활성화

6.
오래된 스팸 메시지
삭제 -> 활성화

7.
스팸 신고 안내
-> 확인

'휴대전화 스팸 간편신고 서비스'는
휴대전화 불법스팸 신고 전용이며, 이
외에 타 용도로는 사용하실 수 없고,
신고는 한국인터넷진흥원으로
접수됩니다.
신고 시 제공되는 내용은
1) 신고하시는 발신번호(회신번호)
2) 수신번호, 신고하시는 분의
휴대전화번호
3) 수신시각, 신고시각, 제목,
문자내용(첨부파일 포함) 등입니다.
제공하신 내용은 불법스팸에 대한
수사의뢰, 행정처분과 수신거부 대행
등을 위해 이용됩니다. 필요한 경우
해당 목적을 달성하기 위해 타 기관에
제공될 수도 있습니다.
단, 수신거부 대행의 경우에는 타
기관에 관련정보가 제공되지
않습니다. 기타 자세한 사항은

| 확인 |

2) 메시지 목록에서 연락처 차단하기

1.
메시지 목록에서
스팸으로 차단할
번호 찾기
2.
차단할 메시지 누르기
3.
오른쪽 하단의 더보기
누르기
4.
'차단' 누르기
5.
'대화 삭제' 체크 후
'차단' 누르기

3) 메시지에서 스팸 신고하기

- 스팸문자 예시

  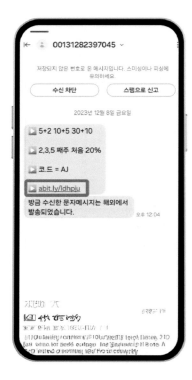

- 출처를 알 수 없는 링크 누르지 않기
- 출처를 알 수 없는 앱이 설치되지 않도록 차단하기
  설정 > 보안 및 개인정보 보호 > 출처를 알 수 없는 앱 설치 > 모두 허용 안 함

4) 메시지 앱의 '최근기록'에서 스팸 신고하기

1.
전화앱의
'최근기록' 화면 누르기
2.
스팸 번호로 신고할
번호를 찾아 누르기
3.
상세정보 아이콘 누르기
4.
'더보기' 누르기
5.
'스팸번호로 신고' 누르기

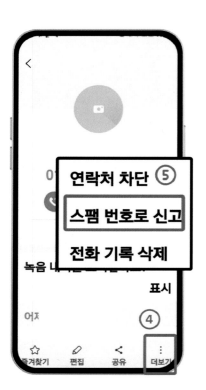

110

모바일 운영체제(OS) 너의 정체는 무엇이니?

모바일 운영체제는 마치 스마트폰의 숨겨진 마법사와 같아요. 겉으로는 보이지 않지만, 스마트폰의 모든 기능을 조종하고 우리가 사용할 수 있도록 해주는 가장 중요한 엄마 소프트웨어랍니다.

크게 두 가지 역할을 해요.

- 하드웨어 관리 : 화면, 버튼, 센서 등 스마트폰의 하드웨어를 조종하고 관리

- 소프트웨어 관리 : 앱, 게임, 사진, 음악 등 스마트폰에서 사용하는 모든 소프트웨어를 관리

가장 많이 사용되는 모바일 운영체제는 두 가지가 있어요.

- 안드로이드 : 구글에서 개발한 운영체제로, 다양한 기기에서 사용 가능. 개방성이 강하고 다양한 앱을 설치할 수 있다는 장점이 있어요.

- iOS : 애플에서 개발한 운영체제로, 아이폰과 아이패드에서만 사용 가능. 안정성과 보안성이 뛰어나다는 장점이 있어요.

이 책에서 다룬 운영체제 One UI 6.0 버전은 삼성전자가 안드로이드 버전 위에 구축한 추가 소프트웨어입니다. 기기 모델에 따라 적용 버전이 조금씩 다를 수 있습니다.

3부

연결
및
관리

제 9 장. 인터넷 연결
제10장. 기기 연결
제11장. 기기 관리

제9장
인터넷 연결

1. 와이파이

1) 와이파이 연결하는 방법 2가지
2) 저장된 네트워크 관리

2. 데이터 사용량 확인과 제한

3. 모바일 핫스팟

와이파이

Wi-Fi는 컴퓨터, 스마트폰, 태블릿 같은 전자 기기를 인터넷에 연결할 수
있게 해주는 무선 기술입니다.
이 기술은 기기들이 서로 또는 인터넷과 무선으로 소통할 수 있게 해줍니다.
집, 사무실, 카페, 식당, 공항 같은 곳에서 많이 사용됩니다.
Wi-Fi가 있으면 인터넷 선을 꽂지 않고 인터넷을 사용할 수 있습니다.

Wi-Fi를 사용하기 위해서는 Wi-Fi 신호를 보내주는 장치가 필요한데, 이것을
우리는 '와이파이 공유기'라고 부릅니다.
보안을 위해, 와이파이 공유기에는 비밀번호를 설정할 수 있습니다.

1. 와이파이

- WiFi 연결을 위해 스마트폰에서 WiFi 를 켜둔다. (활성화 해둔다)

설정
> 연결
> WiFi

빠른 설정에서
와이파이 아이콘 꾸욱 눌러도 됨

터치하여 활성화
<연결 시키기>

터치하여 비활성화
<연결 끊기>

1) 와이파이 (WIFI) 연결하는 방법 2가지

방법 1. 설정에서 연결하기

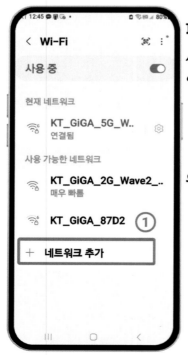

1.
사용 가능한 Wi-Fi 네트워크 찾기
'네트워크 추가' 누르고 원하는
Wi-Fi 네트워크 누르기

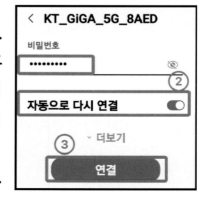

2.
원하는 Wi-Fi 선택해서 누른 후
비밀번호 입력
'자동으로 다시 연결' 누르면
Wi-Fi 네트워크 저장 됨

3.
'연결' 버튼 누르기

방법 2. QR코드로 와이파이 (WIFI) 연결하기

• 먼저 네트워크에 등록한 사람으로부터 QR코드 제공받아 WiFi 연결하기

1. 먼저 WiFi가 연결되어 있는 사람이
   연결된 wifi 의 오른쪽에 있는
   설정 아이콘 누르기
2. 왼쪽 하단 'QR코드' 누르기
3. 화면에 뜬 QR코드 제공
   (이미지로 저장, 공유 가능)

WiFi 등록이 필요한 사람은 이렇게 해보세요

스마트폰 설정 > 연결 > WiFi

1. 오른쪽 상단 QR코드 아이콘 누르기

2. 앞사람의
   스마트폰 화면에 나타난
   QR코드를
   ⌐ ¬안에 맞춰 넣고
   └ ┘
   기다린다
   잠시 후 자동으로
   QR코드 인식 후 연결 됨

117

WiFi QR코드 제공자

WiFi 연결이 필요한 자

QR코드로 WiFi연결 완료

QR 코드가 뭘까요?

QR은 'Quick Response'의 약자에요.
빠른 인식과 속도를 강조하는
단색으로 이루어진 사각형 바코드랍니다.

작은 정사각형 모양을 다양하게 암호처럼
배열하여 정보를 저장하고 있어요.
URL, 연락처, 문자 메시지, 지도 위치 등
다양한 정보 저장이 가능합니다.

2) 저장된 네트워크 관리

• 오랫동안 사용하지 않는 네트워크 삭제하기

스마트폰 설정
>연결
> WiFi > 더보기 [:]
> 고급설정
> 네트워크 관리
> 꾸욱 ~ 눌러 ✓선택
> 삭제

사용하지 않는 네트워크
꾸욱~ 눌러주면 선택박스 등장
필요없는 wifi 선택하여 삭제 누르기

2. 데이터 사용량 확인과 제한

• 스마트폰의 데이터 사용이 어떻게 이루어지고 있는지 확인하고 관리해보세요.

스마트폰 설정
>연결
> 데이터 사용
> 모바일 데이터 사용량

1.
기간 오른쪽 상단에 있는
설정 아이콘 누르기
2.
'데이터 사용한도 설정'을 켜둔다
사용한도가 넘으면 자동으로
데이터 사용이 중지됨

3. 모바일 핫스팟

Wi-Fi가 없는 지역에서도 노트북, 태블릿, 게임 콘솔과 같은 장치에서 스마트폰의 모바일 핫스팟을 통해 인터넷에 접속할 수 있습니다. 전력 소비가 높아 배터리가 빨리 소모되는 단점이 있습니다. 최적의 핫스팟 제공을 위해 무제한 데이터 요금제의 스마트폰에서 이 기능을 사용하는 것이 좋습니다

   1) 내 폰에서 모바일 핫스팟 설정하기
   2) 다른 기기에서 모바일 핫스팟 연결하기

1) 내 폰에서 모바일 핫스팟 설정하기

설정
> 연결
> '모바일 핫스팟 및 테더링' 누르기
> '모바일 핫스팟' 켜고
  길게 꾸욱 누르기

'네트워크 이름'과
'비밀번호' 눌러 변경
후 '저장' 누르기

- '모바일 핫스팟' 속도 2배 빠르게 하려면?… 주파수를 높게

주변에 와이파이(무선인터넷) 신호가 없거나 보안이 우려될 때, 스마트폰의 무선 데이터를 마치 와이파이처럼 띄워 노트북, 태블릿PC에 연결해 쓰는 경우가 많습니다. '모바일 핫스팟'이라고 부르는 기능이죠. 설정에서 간단한 조작으로 인터넷 속도를 2배로 높일 수 있는 방법이 있습니다. 바로 주파수를 바꾸는 것이죠. 기본은 2.4㎓로 돼 있지만, 이를 5㎓로 바꾸면 속도가 2배가량 빨라집니다. 일부 최신 스마트폰은 6㎓까지 지원합니다.

2.4GHz
많은 기기와 호환됩니다. 최적의 성능을 위해 다른 대역을 선택할 수 있습니다.

2.4GHz 및 5GHz
호환성과 성능의 균형을 맞춥니다. 배터리를 절약하기 위해 사용하지 않는 대역을 끕니다.

5GHz 선호
성능이 좋은 편입니다. 5GHz가 지원되지 않는 기기에서는 내 핫스팟을 찾거나 연결할 수 없습니다.

6GHz 선호
성능이 가장 좋습니다. 6GHz가 지원되지 않는 기기에서는 내 핫스팟을 찾거나 연결할 수 없습니다.

2) 다른 기기에서 모바일 핫스팟 연결하기

1.
다른 기기에서
빠른 설정으로 가서
Wi-Fi 버튼 꾸욱 누르기

2.
사용 가능한 Wi-Fi 네트워크
목록에 뜨는
모바일 핫스팟 이름 누르기

3.
설정된 비밀번호 입력 후
'연결' 버튼 누르기

제10장
기기 연결

1. 블루투스

1) 블루투스 기기 연결 등록 하기
2) 추가 기기 등록하기
3) 기기 등록 해제하기

2. 스마트 뷰

블루투스

두 기기를 무선으로 연결하는 기술로 쉽게 말해
보이지 않는 전선이다. 자동차, 헤드셋, 스피커,
키보드, 프린트 등 다양한 기기와 연결할 수 있다.

주의 사항

1. 블루투스 사용 시 배터리 더 빨리 소모될 수 있음
2. 보안에 유의해야 함 (낯선 기기 연결 금지)
3. 모든 기기가 블루투스 지원하는 것은 아님 (구매 전 확인 필요)

1. 블루투스

1) 블루투스 기기 연결 등록하기

- 먼저 블루투스로 연결할 기기의 전원을 켜놓은 뒤 블루투스 기기 연결을 시작합니다.

1.
빠른 설정 에서
블루투스 아이콘 꾸욱 누르기

2.
블루투스 사용중으로 활성화 시킴

3.
여러 개의 목록이 자동으로 뜸
연결할 기기 이름 선택 후
'완료' 누르기

설정 > 연결 > 블루투스로
들어가서 작업해도 됨.

4.
"OO기기를 등록할까요?" 메시지
뜨면 확인하고 '등록' 누르기

5.
등록이 완료된 후에
사용하려는 기기를
목록에서 찾아 누르기

6.
'연결됨' 메시지가 뜨면
'완료' 누르고 사용 가능

2) 추가 기기 등록하기

1.

목록에 없는
새로운 기기를 등록하고
싶을 때는 '찾기' 누르기

2.

새로운 기기가 목록에 뜨고
~ 등록할까요? 메시지 뜨면
'등록' 누르기

3) 기기 등록 해제하기

1.

목록에 있는 블루투스 기기를
삭제 할 때는 '상세설정' 누르기

2.

기기 이름 옆에 있는
설정 아이콘을 누르기

3.

"~ 등록을 해제 할까요?"
라는 메시지창 뜨면,
화면 하단 '등록해제' 누르기

2. 스마트 뷰

스마트폰 화면을 TV나 프로젝트에 띄워 보여주는 기능입니다. 사진, 동영상, 게임 등을 스마트폰보다 큰 TV화면에서 즐길 수 있어요. 스마트폰에 기본 탑재된 기능입니다. 하지만 스마트뷰 기능을 활용하기 위해서는 두가지 조건이 필요합니다.

첫째, 연결할 기기가 같은 와이파이 네트워크에 연결되어 있어야 합니다.
둘째, 미러링 기능이 있는 스마트TV와 프로젝트에서 사용 가능합니다.

미러링 기능이 없는 기기는 HDMI 케이블이나 구글 크롬캐스터로 연결 가능

스마트뷰 사용하는 방법

• 연결할 기기와 같은 와이파이에 연결되었는지 확인한다

안드로이드 12/11/10/9

Smart View

1.
빠른 설정 화면 왼쪽 아래에 있는 'Smart View 화면미러링' 누르기

2.
목록에 연결할 기기가 뜨면 누르기

3.
메시지가 뜨면 '지금시작' 누르기. 일부 기기는 PIN 번호 입력을 요구하기도 한다

제11장
기기 관리

1. 디바이스 케어

1) 배터리 소모 줄이는 방법
2) 무선 배터리 공유

2. 소프트웨어 업데이트

3. 휴대전화 정보

1. 디바이스 케어

"디바이스 케어" 기능은 스마트폰에서 제공되는 다양한 기능 중 하나입니다. 스마트폰의 성능을 최적화하며, 사용자의 개인 정보를 보호하기 위한 기능들을 포함합니다. 주요 기능은 배터리 및 저장공간, 메모리 사용량, 안전 상태 등을 한눈에 확인할 수 있습니다.

설정
> 디바이스 케어

'지금 최적화'를 눌러 내 스마트폰 기기의 위험 요소를 제거하고 불필요한 메모리 사용을 없애주세요.

1) 배터리소모 줄이는 방법

- 스마트폰 절전모드를 활성화

설정
> 디바이스 케어
> 배터리 > 절전모드

1.
배터리 사용가능 시간 및 잔량을 확인 할 수 있습니다. 배터리 잔량이 작은 경우 절전기능 을 실행하여 배터리 소모를 줄일 수도 있습니다.

2.
배터리 사용가능 시간 및 잔량을 확인하고 배터리 잔량이 작은 경우 절전기능을 실행하여 배터리 소모를 줄인다.

- 절전모드는 빠른설정창에서 배터리 모양 아이콘을 눌러 켜기 가능

3.
백그라운드 앱 사용 제한 기능은 자주 사용하지 않는 앱은 배터리를 적게 사용하도록 설정할 수 있습니다.

최적의 배터리를 유지시키는 사용 환경

- 적정 사용 온도(0~35도)에서 사용
- 충전 중에는 스마트폰 사용 안하기
- 100% 충전이 완료되면 제품 분리
- 규격에 맞는 충전기와 케이블 사용
- 장시간 사용하지 않을 때, 약50~70% 충전된 상태로 전원을 끄고 보관

- 배터리를 보호하는 충전

설정
> 디바이스 케어
> 배터리
> 배터리 보호

배터리를 보호하고 수명을
지속시키기 위해 최대 80%
정도로 충전되도록 [최대]로
설정 권장

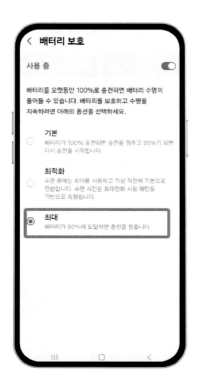

2) 무선 배터리 공유

외부에서 배터리가 부족할 때 스마트폰의 뒷면 가운데 부분에 다른 기기의 뒷면을 맞대 주세요.
스마트 기기들 간 무선 배터리 공유를 사용해 다른 기기를 충전 할 수 있습니다.

설정
> 디바이스 케어 > 배터리
> 무선 배터리 공유 켜기

<주의사항>
기기의 배터리 잔량이 30%가 되면 무선 배터리 공유 중지 됨
전화나 카메라 사용시 무선 배터리 공유 중지 됨
충전 속도는 기기별로 다를 수 있음

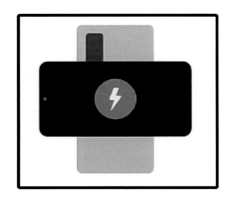

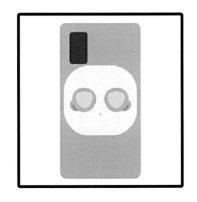

2. 소프트웨어 업데이트

스마트폰 소프트웨어 업데이트는 새로운 보안 패치를 통해 바이러스 및 해커로부터 스마트폰을 보호하여 보안을 강화하기 위해 반드시 실행해야 합니다. 시스템 최적화를 통해 스마트폰의 속도와 배터리 수명이 개선되어 스마트폰의 성능이 향상됩니다. 또한 새로운 기능을 추가하여 최신 기술과 서비스를 이용할 수 있습니다.

소프트웨어 업데이트는
"기기 보안 및 성능 유지"를 위한 필수사항입니다.

1) 소프트웨어 업데이트 하는 방법

2) 소프트웨어 업데이트 확인, 다운로드 및 설치

업데이트(update)가 뭘까요?

업데이트는 앱이나 프로그램을 더 멋지고
똑똑하게 만들어 주는 작업입니다.
새로운 기능을 추가하거나, 문제를 해결하고
안전성을 강화하여 편리하고 안전하게
프로그램을 사용할 수 있도록 해줘요.

항상 최신 버전으로 업데이트하여
더욱 즐겁고 안전하게 사용하세요!

- 업데이트가 진행된 이후에는 이전으로 되돌릴 수 없음
- 업데이트 시에는 시간이 많이 걸리므로 폰을 사용하지 않는 시간에 할 것

1) 소프트웨어 업데이트 하는 방법

• 소프트웨어 업데이트는 배터리가 충분히 충전되었거나 충전기에 연결된 상태에서 진행

1.

설정 아이콘 누르기

(스마트폰 위에서 아래로
스크롤하여 빠른 설정에서
설정아이콘으로 들어가는
방법도 있음)

2.

'소프트웨어 업데이트'
버튼 눌러 이동하기

2) 소프트웨어 업데이트 확인, 다운로드 및 설치

3.

업데이트 확인: '최근 업데이트' 또는 '다운로드 및
설치'탭을 통해 최신 업데이트가 있는지 확인하기.

4.

다운로드 및 설치: 업데이트가 있을 경우,
화면의 안내에 따라 '다운로드' 후 '설치' 진행하기.
(설치 중에는 스마트폰을 사용할 수 없으므로,
업데이트는 사용하지 않는 시간에 진행하는 것이
좋음.)

Wi-Fi로 자동 다운로드를 켜두면 매번 수동으로 업데이
트를 해주지 않아도 되고 데이터 요금 절약에 도움 됨.

3. 휴대전화 정보 <내 스마트폰 정보>

스마트폰 사용자는 '휴대전화 정보' 파트를 이용하여 자신의 기기에 대한 중요한 정보를 확인하고 관리할 수 있습니다. 이 섹션은 기기의 소프트웨어 버전, 모델 번호, IMEI 번호, 네트워크 정보 등을 포함하여, 기기의 기본적인 정보와 시스템 업데이트, 법적 정보, 개발자 옵션 등에 대한 접근을 제공합니다.

휴대전화 정보 이용은 기기 관리의 시작입니다.

1) 휴대전화 정보 확인 방법

2) IMEI번호 확인하기

(1) IMEI란?
(2) IMEI 번호의 주요 용도
(3) IMEI 번호 확인하는 3가지 방법

1) 휴대전화 정보 확인 방법

설정
> 휴대전화 정보

내 스마트폰의
전화번호, 제품명,
모델명, 시리얼번호,
IMEI 등 확인 가능

2) IMEI 번호 확인하기

(1) IMEI란?

IMEI
(International Mobile Equipment Identity)
번호란 모든 휴대전화와 스마트폰에 부여되는 고유
한 식별 번호로 보통 15자리로 구성되며, 전 세계적
으로 해당 기기를 식별할 수 있게 해 줌.

IMEI 번호는 휴대전화가 네트워크에 연결될 때 사
용되며, 기기의 도난이나 분실 시 차단하거나 추적
하는 데 중요한 역할을 함.

IMEI 번호와 같은 중요한 정보는 신뢰할 수 있는
사람이나 기관에만 제공하는 것이 안전합니다.

(2) IMEI번호의 주요 용도

기기 식별 : 통신 네트워크는 IMEI 번호를 사용하여 특정 기기를 식별하고, 해당 기기의 통화 및 데이터 사용을 관리함.

도난 및 분실 대응 : 기기가 도난 당하거나 분실된 경우, IMEI 번호를 통신사에 제공하면 해당 기기를 네트워크에서 차단하여 사용을 불가능하게 만들 수 있음. 이는 도난된 기기의 무단 사용을 방지하는 데 도움이 됨.

보험 및 보증 서비스 : 일부 보험 회사나 제조사 보증 서비스에서는 기기의 IMEI 번호를 기반으로 보험 적용 여부나 보증 서비스를 제공함.

(3) IMEI번호 확인하는 3가지 방법

방법 1. 설정

1.
홈 화면 또는 즐겨찾기에서 설정 버튼 누르기

2.
'휴대전화 정보' 또는 '기기 정보'로 이동

3.
기기의 IMEI 번호 확인하기

방법 2. 전화

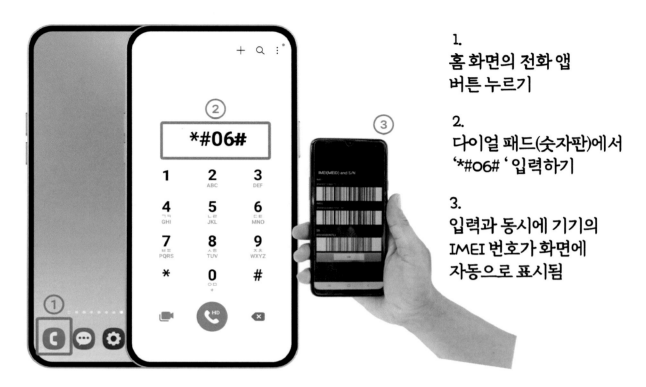

1.
홈 화면의 전화 앱
버튼 누르기

2.
다이얼 패드(숫자판)에서
'*#06# ' 입력하기

3.
입력과 동시에 기기의
IMEI 번호가 화면에
자동으로 표시됨

방법 3. 기기

기기 뒷면 또는 배터리 아래
: 일부 스마트폰에서는 기기 뒷면이나 배터리를
제거했을 때 IMEI 번호가 적혀 있는 경우도 있
음.
(IMEI 번호 식별이 어려우므로 돋보기 등을 사
용하여 봐야함.)

에필로그

박현경 : 여기까지 오시면서 실력이 한 단계 성장하는 것을 느끼셨으리라 생각합니다. 잘 모르겠다, 자꾸 까먹는다는 말씀에 채팅방으로 강의안도 드리고 유튜브 영상도 만들고 책까지 만들게 되었네요. 같이 해 주시는 수강생분들이 계셔서 저도 계속 성장하고 있습니다. 같이 해 주셔서 감사합니다!

오수정 : 현장에서 강의를 하다보면 수업 중 자료를 사진찍고 메모하시느라 바쁜 모습을 봅니다. 조금이나마 학습하실 때 도움이 되길 바라며 큰 글씨와 사진, 강의처럼 친절한 설명이 들어간 책을 만들어 드리고 싶었습니다. 처음에는 강의 자료 조금만 정리해서 만들면 금방 될꺼라고 쉽게 생각했습니다. 하지만 책을 완성하는 것은 또 다른 영역이라 힘들고 고된 과정이었습니다. 저희의 노력으로 완성된 이 책이 수강생분들의 학습에 도움이 되시기를 바랍니다. 편하고 행복하게 열공하세요

오현수 : 시니어분들이 쉽게 따라할 수 있는 교재를 만들어 드리고 싶었습니다. MKYU 디지털튜터 협회 레벨업스터디로 만나 교재까지 함께 만들게 될 줄 상상도 못했지요. 책을 엮으면서 좋은 인연도 엮을 수 있어 좋았습니다. 수업현장에서 꼭 필요한 교재 만들기에 집중했습니다. 꼭꼭 씹어 드시다 보면 어느새 레벨업이 되어있는 자신을 만나실거에요.

이경숙 : 디지털 튜터 스터디로 만난 인연, 매주 강의안과 경험을 공유하며 서로의 강사로 학생으로 함께 했습니다. 그 안에서 만들어간 우리들의 노하우와 정보들을 꼭꼭 씹어 먹는 시리즈로 담았습니다. 어느 뷔페보다 맛나고 감칠맛 나는 레디큐만의 집밥! 함께 드셔 보세요. 여러분을 초대합니다.

이 선 : 디지털 세상에 이주해 와서 난감한 상황을 만난 경험이 있었습니다. 이를 극복하기 위해 노력하다 보니 디지털 튜터가 되어 있었습니다. 이 책은 디지털 세상에 적응할 수 있도록 도움은 물론 디지털 관련 강의도 할 수 있도록 돕는 책입니다. 캔바로 협업하면서 멋진 튜터님들을 자산으로 얻었다는 것이 저는 제일 좋습니다.

이채영 : 협업하여 교재를 만드는 과정에서 서로의 감사와 배려로 '스마트폰 씹어먹기' 시리즈 1권의 출간을 무사히 마무리 할 수 있었습니다. 이번 경험은 제 인생의 소중한 추억으로 남을 것입니다. 부디 이 책을 통해 디지털 기술에 대한 두려움을 극복하고, 디지털 세상에 즐겁게 참여하며 새로운 기회를 열어 나가시기를 바랍니다.

정승미 : 8명의 현직 강사님들의 현장 경험과 노하우를 담아 공동 작업해 만든 책! 제심합력의 중요함을 새삼 느낀 감사한 경험이었습니다. 책을 만들며 우리가 레벨업 되었듯, 쉽게 풀어 만든 이 책을 통해 우리의 바램대로 시니어분들도 레벨업 되시길 바랍니다.

차성혜 : 이 책은 100세 시대, 하루가 다르게 변하는 디지털 시대에 적응하기가 힘드신 시니어분들에게 꼭 필요한 선물 같은 책입니다. 개인적으로는 노하우가 많으신 선생님들과 함께 만들면서 저두 레벨업하는 시간이었습니다. 함께 한 모든 분께 진심으로 감사드리며, 핸드폰 사용이 두렵다고 하시는 친정어머니께 꼭 보내드리고 싶은 교재입니다. 천천히 꼭 꼭 씹어 드세요~

스마트폰 씹어먹기

기본편

발행일 2024년 05월 01일
지은이, 편집, 디자인 : 레디큐디지털교육연구소 8명
발행인 ,기획 : 레디큐
출판사 : 레디큐
팩스 : 0504-145-1139

ISBN : 979-11-987501-0-5

※ 저작권법 제 30조(사적 이용을 위한 복제)
공표된 저작물을 영리를 목적으로 하지 아니하고, 개인적으로 이용하거나 가정 및 이에 준하는 한정된 범위 안에서 이용하는 경우에는 그 이용자는 이를 복제할 수 있다. 다만, 공중의 사용에 제공하기 위하여 설치된 복사기기에 의한 복제는 그러지 아니하다.

※ 저작권법 제 136조(벌칙)의 ①
다음 각 호의 어느 하나에 해당하는 자는 5년 이하의 징역 또는 5천만 원 이하의 벌금에 처하거나 이를 병과할 수 있다. 지적재산권 및 이 법에 따라 보호되는 재산적 권리(제93조에 따른 권리는 제외한다)를 복제, 공연, 공중송신, 전시, 배포, 대여, 2차적 저작물 작성의 방법 으로 침해한 자

※ 민법 제750조(불법행위의 내용)
고의 또는 과실로 인한 위법행위로 타인에게 손해를 가한 자는 그 손해를 배상할 책임이 있다